SHODENSHA
SHINSHO

2030年の東京

河合雅司
牧野知弘

祥伝社新書

はじめに――激変の入口に立つ「2030年の東京」

河合雅司

コロナ禍で東京一極集中に歯止めがかかるのではないか――。感染が拡大し始めた頃、このような予測が少なくなかった。テレワークが一挙に広まったこともあり、過密な東京を脱出する人の流れができるに違いない、との見立てである。

だが、蓋を開けてみれば、勢いは弱まったものの東京都への転入超過は続いている。東京23区に限れば転出超過も確認されたが、その転出先の多くは都内の多摩地区や神奈川県をはじめとする隣接県である。それどころか、2021年4月には10代後半の転入超過数はコロナ前を上回るレベルとなった。20代の転入も再び拡大している。東京を目指す気持ちは、簡単に折れるものではなかったということだ。

若者はなぜ、東京に魅せられるのだろうか。それは「夢へと続く扉」があるからだ。チャレンジの機会と給与の高い仕事に溢れている。こうして、いつの時代も全国各地の夢見る若者が吸い寄せられてきた。

資本や投機のマネーも、巨大マーケットを取り込むべく流れ込む。資本金10億円以上の企業の６割が立地し、外資系企業の86％が本社を置いている。さまざまなものを呑み込みながら、東京圏（東京都・神奈川県・埼玉県・千葉県）は３７００万人もの人口を抱える世界屈指の人口集積地になった。多くのものが集まると、莫大なエネルギーが生まれる。それが、日本を経済大国にまで押し上げる原動力でもあった。「集積の経済」をここまで見事に成功させた都市は、そう多くはないだろう。

ところが、そんな東京に今、大きな転機が訪れようとしている。東京都の総人口が２０２５年にピークアウトするのをはじめ、東京圏が本格的な人口減少社会へと突入するというのだ。日本全体の人口が激減し、地方に若者が少なくなってしまったためである。これは東京にとって一大事だ。東京の成功モデルは人口膨張がもたらしてきたからである。その前提が崩壊すれば、モデルは成り立たなくなる。

変化は人口が減ることだけではない。地方からの若者の流入が縮小すれば、東京は急速に老け込む。そうでなくとも、高齢者の激増期に入る。東京都の80歳以上人口はすでに１００万人を超えている。今後の街の風景は、これまでとはまったく異なるものとなるだろう。マーケットの急激な縮小は、薄利多売のビジネスモデルからの転換を企業に突きつける。若い世代の減少はイノベーションを起こす力や流行の発信力を削ぎ、組織にマンネリをもたらす。そうなれば、東京はどんどんつまらなくなっていく。

高齢化がおよぼす影響も深刻だ。４半世紀後には東京都でもおよそ３人に１人が高齢者となるが、東京はこれまで若者中心の街づくりを進めてきた。いたるところに段差が残り、急な坂道も少なくない。これからは80代以上の１人暮らしが増えるので、買物や通院に苦労する人が激増しよう。高齢者向けの医療機関や介護施設もまったく足りない。このままならば介護難民が激増する。各自治体は対応に追われ、七転八倒することだろう。やがて財源不足に陥り、行政サービスの低下は避けられない。

われわれに突きつけられているのは、「古き良き東京」を一度捨て去り、人口減少時代に適した「新・東京モデル」へと転換することである。

懸念されるのは、「古き良き時代」はいつまでも輝かしく見える点だ。人口の変化は当初ゆるやかに進むため、従来の成功モデルでもしばらくは通用する。こうなると、過去の成功体験にしがみつきたい人ほど変化を軽視し、問題を見て見ぬふりをするようになる。だが、そうして対応が後れたならば打つ手はなくなり、日本は完全に失墜する。

われわれには、時間がそれほど残っているわけではない。２０２５年に東京都の人口がピークアウトするならば、遅くとも２０３０年には〝激変の入口〟に立つ。それまでに道筋をつけなければならない。この数年間が勝負どころなのだ。

そこで本書は、2030年の東京がどうなるかを可視化することとする。現状のまま突っ走ったならば、どんな未来が待っているのかを、テーマごとに明らかにすることが目的だ。そして、未来を変えるための対応策も提言する。

本書は対談のスタイルを取っている。不動産コンサルタントの立場で「東京の在り方」に繰り返し警鐘を鳴らしてこられた牧野知弘さんと、人口減少問題を専門とする私が、それぞれの立場からアプローチし、2030年の東京を切り取ろうという試(こころ)みである。それぞれの専門分野を持つ2人の対談だからこそ発見できた新たな視点も少なくなかった。

本書を手にしてくださった読者のみなさんが東京の未来を知るだけでなく、先んじて対応策を講じるための一助とならんことを切に願う。

目次

第2章
家族はこうなる

第3章 街、住まいはこうなる

第4章 暮らしはこうなる

第5章 老後はこうなる

※図表の数値は、四捨五入の都合で合計等と一致しない場合がある。

本文デザイン……盛川和洋
本文DTP……キャップス
図表作成……篠　宏行
編集協力……水無瀬　尚

プロローグ――東京住男(とうきようすみお)（仮名・60歳男性）の1日

昨夜、久しぶりに会社の夢を見た。遅刻した夢だ。夢のなかでは、いつもと同じ時刻に起きて満員電車に乗ったものの人身事故に遭遇した。ようやく会社に着いて上司に怒られたところで、はっと目が覚めた。そうだ、今日も自宅作業(リモート)だった。

私、東京住男は今年（２０３０年）60歳、５年前に役職定年を迎えた。今や70歳まで働く人が増え、まだまだ老け込む年齢ではないが、思いは複雑だ。60歳以降は年功序列の賃金体系から外(はず)れ、個々人の能力に応じて給与額が決まるため、かなりの差がつく。専門的な技能や資格を持つ社員にはかなりの給与をもらっている人もいるようだが、事務職一筋の私には縁のない話だ。定年が68歳まで延(の)びた分、社員個々の給与水準を抑(おさ)えざるを得ないということなのだろう。仕事の内容と言えば、かつて部下だった若い社員たちのバックアップ業務だ。トラブル対応や面倒な事務作業を黙々とこなす日々である。

同期入社20人のうち、今も社に残っているのは私を含め４人。中国企業に事業部ごと売却されて日本を離れたAは２年後、会社からの一方的な通告で〝お払い箱〟となった。今はマンションの管理人をしている。ゴミ出しを入居者に注意したところ、怒鳴り返された挙句に管理会社に通報されて、始末書を書かされたそうだ。

9時、年下の上司にチャットで挨拶をしたあと、業務指示を受ける。出社は週に1回で、残りのウィークデーは自宅で仕事をする。4畳半の自室にパソコンが2台あり、カメラもついている。常時監視されているようで最初は不快だったが、慣れてしまった。報告も会議も事務処理も全部パソコン、もしくは移動用端末でやりとりをする。楽と言えば楽だ。このスタイルが始まって、もう10年も経つだろうか。

週に1回、生存確認をしてもらうように出社をしても、なじみの顔を見かけることは少ない。みな在宅勤務なのだから、当然だ。折り畳んだ新聞すら読めなかった満員電車はもう見かけない。ただ、通勤客が激減したために運行ダイヤが大幅に間引かれ、ホームでの待ち時間は長くなった。それに途中駅での停車時間が長くなった気がする。乗り降りに時間がかかる高齢者が増えたからだろう。

12時、午前中の仕事を終え、昼飯になった。妻も働いているから、自宅といえども外食する。駅前の食堂は数が少ないこともあって食べ尽くしてしまい、また行きたいという店もない。今日はイオンのフードコートで手早くすまそう。限られた小遣いのなかで昼食代をやりくりしなければならないが、ランチの料金は確実に上がっており、インフレを実感する。「ワンコインランチ」という言葉は死語になってしまった。

そう言えば、先に退職した先輩が、「『まだ先』は『そのうち必ず来る』ということだ。それが定年だ。心の準備をしておけ」と忠告してくれたことがあったなあ。でも、定年が延びたことで緊張の糸が切れてしまった。それでも心配事は尽きない。

晩婚だったため子供（男児）は中学生で、教育費の山場はこれからだ。通っている市立中学校は少子化で統廃合され、徒歩では通えない距離にある。自転車でもかなりの距離なので、妻がクルマで送り迎えをしている。東京の郊外で公立校に通うのに送迎とは、私の時代には考えられなかったことだ。

自宅（猫の額のような庭つき一戸建て）のローンは半分以上残っており、退職金を注ぎ込んで返済するつもりだ。給与ベースが年々落ちているから、繰り上げ返済など不可能だ。そもそも肝心の退職金がどれだけ出るのか。8年後の会社の経営状態など予測もつかない。売却を視野に入れて不動産屋に相談したところ、提示された金額は何と購入価格の3分の1。「これでもいいほうですよ」と言われて、愕然とした。大学時代の友人は賃貸マンション暮らしで、「家も買えない負け組」と密(ひそ)かに軽蔑していたが、部屋数はわが家より多く、満足しているようだ。私の選択がまちがいだったのか。

15時、社で認められている20分休憩になった。腕を上げて伸(の)びをする。何でも、座りっぱなしでは業務効率が下がり、健康にも良くないということで、総務部より椅子から離れて軽く運動するよう言われている。

健康と言えば、ここから電車で約20分の多摩(たま)ニュータウン(東京都八王子(はちおうじ)市・町田(まちだ)市・多摩市・稲城(いなぎ)市)に両親(父親87歳、母親84歳)が健在だ。私もそこで育った。それとなく聞くと、そこそこの年金を受給しているらしい。東京では医療従事者の数が足(た)りず、手術が半年待ちだという。それを伝えると、両親は医者になるべくかからないでもすむよう、健康に気を配るようになった。親の介護がないだけ、私は恵まれていると思う。

17時半、本日の仕事は終了だ。朝と同じように上司に業務報告をして、パソコンを閉じる。自転車に乗ると、19時まで開いている図書館を目指す。自宅の最寄り駅にあった書店がすべて閉店したためだ。仕事帰りに同僚や部下と一杯飲んでいた頃が懐かしい。小遣いが減らないのはありがたいが、人との触れ合いまで減ってしまった。この年になると、新しい友人など簡単にできるものではない。

つくづく、私より上の世代は恵まれていたと思う。年功序列で賃金は上がり、満額の退職金を得た。もらえる年金額も私たち就職氷河期世代より多い。「不公平だ」と言っては、状況がより深刻化して苦しんだ下の世代に怒られるだろう。彼らは一握りの勝ち組以外、もっと厳しい環境にあるのだから。

今後、団塊(だんかい)の世代(1947〜1949年生まれ)が亡くなって高齢者問題が一息ついても、出生率の低下による人口減少に歯止めはかからず、若年層は増えない。下の世代に面倒を見てもらうという甘い考えは捨てなければならない。私が心配しているのは老後の資金だ。68歳で定年・無職となり、その後15年間生きるとして、年金だけで食いつなぐことはできるだろうか。

東京オリンピック・パラリンピックが開かれた頃は「何とかなるだろう」と思っていた。しかし10年近く経って、その見通しがまちがっていたことを思い知らされている。私も日本も、どこで道を誤(あやま)ったのだろうか。

第1章

仕事は
こうなる

産業構造の変化

河合　私は、今の日本は産業構造もビジネスモデルも大きな転換期の入口に立っていると考えています。日本の産業構造は第2次産業から第3次産業へとシフトしましたが、なお多くの企業で労働集約型のビジネスモデルが温存されたままです。しかしながら、少子化が進むなか、労働集約型モデルの「終わりの始まり」が見えてきました。

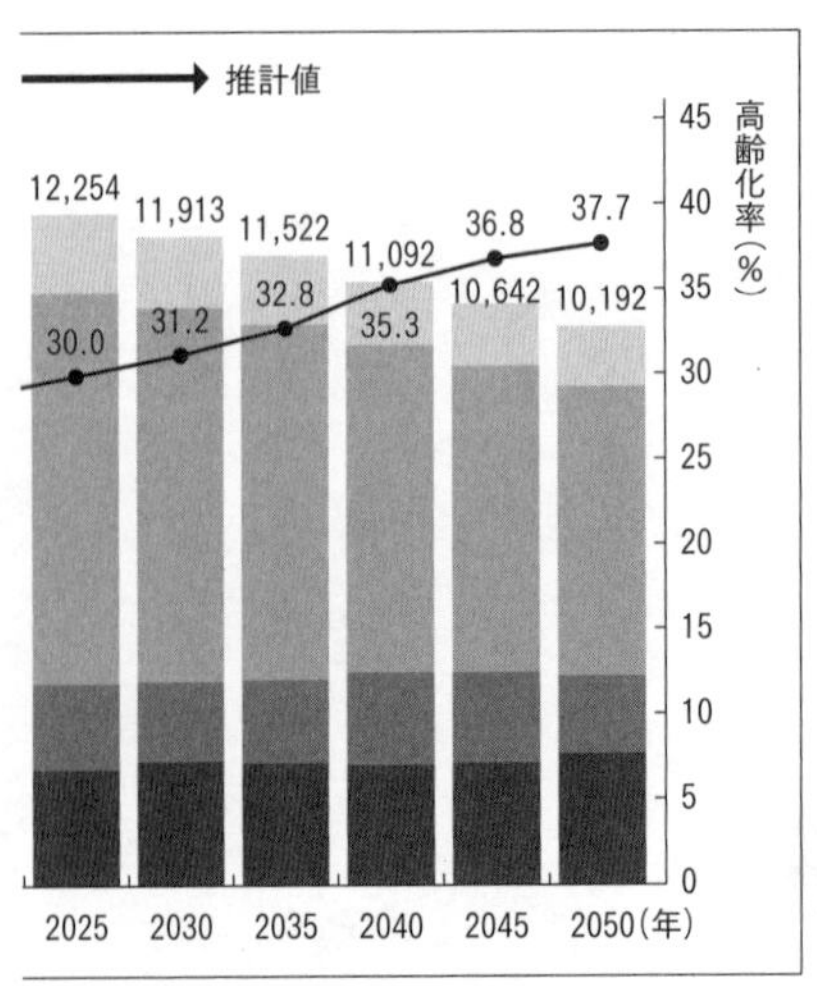

65歳以上人口が総人口に占める割合
社会保障・人口問題研究所「日本の将来推計人口」より)

加速度的に若年人口が減っていく以上(図1)、大勢の人を同じ時間に一カ所に集めなければできないビジネスモデルは、もう成り立ち得ません。ここを見誤って、「コロナ禍が収束したら、またみんなで集まって仕事を回していきましょう」となると、この国が抱えている構造的な課題はまたも先送

図1　日本の人口推移と高齢化率

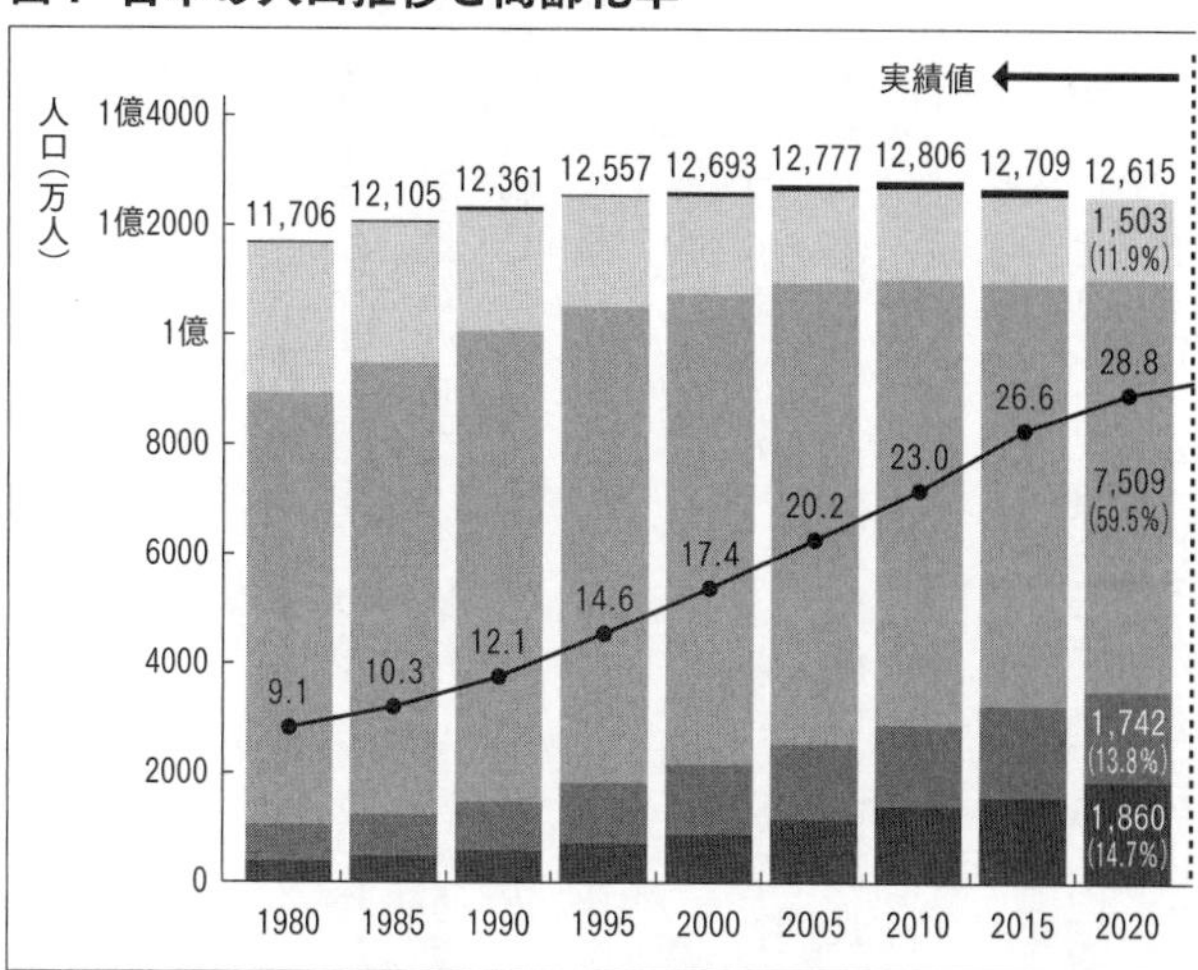

※　不詳　0〜14歳　15〜64歳　65〜74歳　75歳以上　高齢化率：

（実績値は総務省「国勢調査」、推計値は国立

りされてしまいます。

牧野　コロナ禍がきっかけとなって、テレワークが身近になりました。そして、テレワークの実施率は東京がきわめて高い（21ページの図2）。オフィスに出向かなくても仕事ができることが証明されると、自分たちの仕事はみんなが一カ所に集まってモノを作るような製造業ではないんだと、東京のビジネスパーソンは気づいたのでしょう。

河合　東京の都心部ではモノ作りをほとんどしていません。これはビジネスモデルの転換も図りやすいということです。

2018年に、経済産業省が「20

25年の崖」という表現で、「DX(デジタルトランスフォーメーション=ITを積極的に活用することで仕事の作業能力を上げる一連の動き)化を図らないと日本企業は成長を実現できなくなる」との報告書を出しました。それだけDXが浸透していなかったことを物語っていたわけですが、2020年に新型コロナウイルスが猛威を振るうと非接触が推奨され、各社とも一気にDXへのアクセルを踏み始めましたね。

牧野 労働集約型産業の限界は、経営者がもっとも感じているはずです。人口減少の進展は想像を絶していて、そもそも人を集めようとしても集まりません。そして縮小マーケットでは、顧客が少数でも、利益が生み出せる仕組みを作らなければなりません。人口減少という大前提がある限り、どの業種、どの職業でも業態転換は確実に起こります。

河合 人口が減り始めたのに東京一極集中が続いてきたので、今や東京都には総人口の11・1%が集まり、都内総生産は全国の19・5%(2018年度)を占めています。これまで日本企業はヒト・モノ・カネを集め続ける「集積の経済」を東京都において見事に成功させてきたわけです。

しかし、そうした「東京モデル」は人口激減社会を目前に控えて破綻しかけています。東京から変わっていかなければ、この国の経済は行き詰まるでしょう。日本は経済大国に

図2 テレワークの地域別実施状況

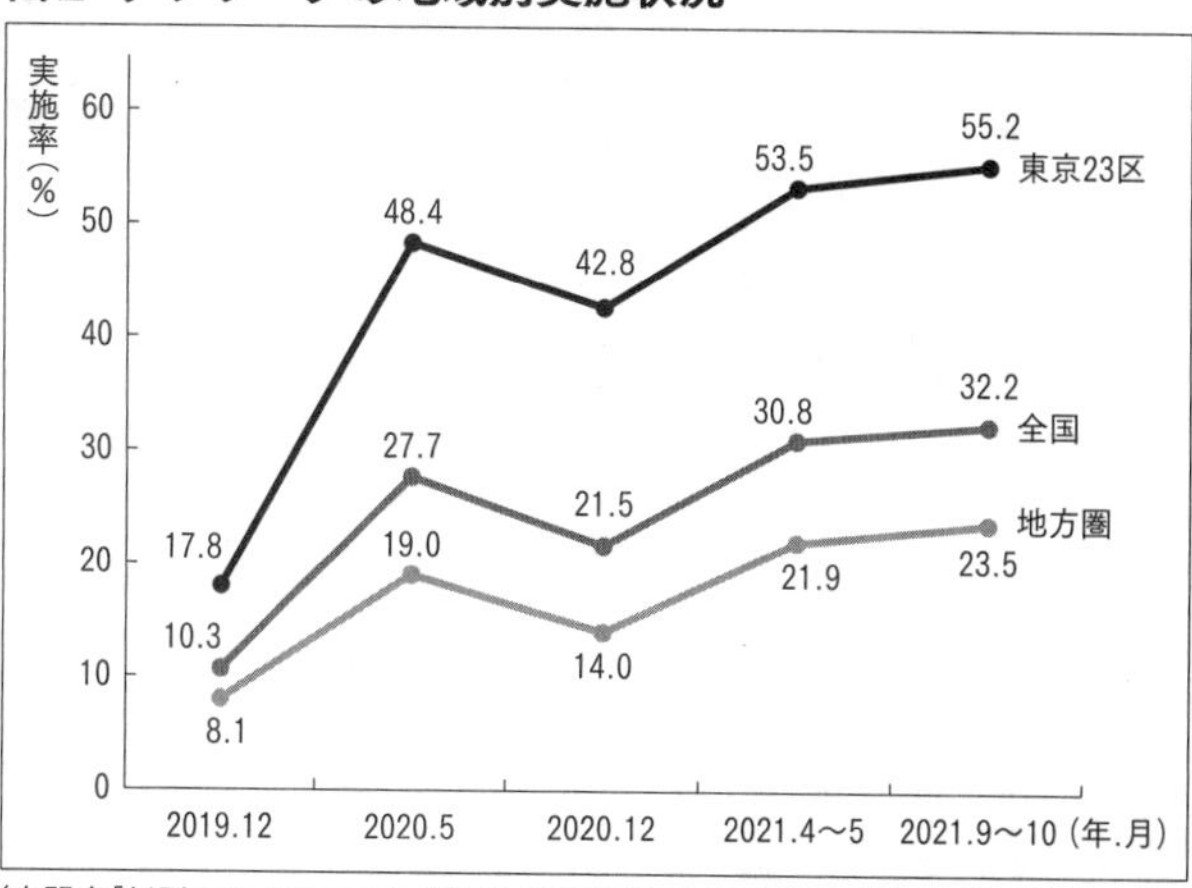

（内閣府「新型コロナウイルス感染症の影響下における生活意識・行動の変化に関する調査」より）

なりました。しかしながら、労働集約型の企業が少なくないだけでなく、利益高より売上高を重視する薄利多売型の企業も多い。いまだに発展途上国型のビジネスモデルのままなんです。

牧野　東京に本社を置く製造業の多くは1980年代後半の円高時代、人件費の安い海外、主にアジア地域に製造拠点を移し終わっています。今の東京は情報通信系産業が主体ですから、製造業のように労働集約型で仕事を進める必要はありません。しかし、これまでの東京モデルの残滓（ざんし）があって、みんながオフィスに集まって働いていました。その必要がないことを確認できたきっかけが、たまたまコロナ禍だったのです。ただ、コロナ禍がなくても、行き詰まり感は明確にありましたから、遅かれ早かれ変わらざるを得なかったでしょう。

情報通信端末があれば、業績の報告や確認的な会議であればできてしまいますし、打ち合わせもできます。オンラインであれば社長から平社員まで一律で情報を共有化することも簡単にできます。もう一カ所に集まって押しくらまんじゅうをする必要はないと気づいたことは大きな出来事です。

世界からスルーされる日本

牧野　東京で働くビジネスパーソンの意識は大きく変わりましたが、街としての東京がすぐに変わるかというと、それは別問題です。都市開発は10年単位で仕込んでいくものですから、現時点で２０３０年頃までの大規模開発が決定しています。

たとえば、東京駅の八重洲口（中央区）、日本橋（同）、虎ノ門（港区）、神谷町（同）などでは現在、巨大戦艦のような高層ビルがバンバン建てられています。東京駅の東側にあたる城東地区においては、向こう3年間で70万坪の新たなオフィス床が誕生します。これはＤＸ化の流れ、すなわち東京でのオフィス需要の減少を見越したものではありません。しかし、巨大プロジェクトはいったん動き出すと、よほどのことがないと止められませんから、突き進むしかない。巨大都市・東京は構造転換が困難なのです。

河合　まさにその通りです。現時点で進行中の大規模開発プロジェクトに、２０３０年にかけての社会の変化が織り込まれているとは思えません。相変わらず人口が増え続けることを前提とした「集積の経済」の発想です。新規オフィスが大量に供給される頃、どれだけ時代のニーズに合致しているのか、大いに疑問です。

牧野　開発の継続に必要なのは、旧来型のヒト・モノ・カネが集まる「東京モデル」であり、それにともなう楽観的な予測です。行政にしても、デベロッパーにしても、働き方が変わって大きなオフィスは必ずしも必要なくなるのに、ハコ（オフィス）を作れば人が集まるといまだに考えている。過去の成功体験からの延長線上で構想しているのです。しかし私は、たとえば政治家が口を揃（そろ）えて言う、東京が「国際金融センター」になる可能性はきわめて小さいと考えています。

河合　同感です。２０２１年９月にイギリスのシンクタンクＺ／Ｙｅｎグループが発表した「世界金融センター指数」では１位ニューヨーク、２位ロンドン、３位香港（ホンコン）、４位シンガポール、5位サンフランシスコ、6位上海（シャンハイ）、7位ロサンゼルス、8位北京（ペキン）、9位東京になっています。つまり、東京はアジアでも5番目なのです。

これは、東京というより、日本のプレゼンスの低下です。グローバル企業の極東支社（ブランチ）のほとんどが北京やシンガポールであり、東京ではないという現実がすべてを物語っています。支社を置かない＝人事評価に影響をおよぼす組織がないということは、本社が日本を見限っているということです。東京にある外資系企業の多くは日本法人であり、言わば代理店（エージェンシー）のようなものです。このような街を「国際都市」とは言いません。

牧野　香港で仕事をしている私の友人は、新橋（しんばし）（港区）にもオフィスがあるのに、名刺からそのアドレスを外（はず）してしまいました。「載（の）せても意味がない。香港のアドレスだけで十分」と言うのです。つまり、東京にオフィスがあることに価値がない。さらに、「東京はアジアのファーイーストだからどこに行くにも不便だし、誰も関心がない」と言っていました。これが国際経済の現実です。東京に未来があるかと言えば、非観的にならざるを得ません。

余熱はいつまで続くか

河合　日本経済は、2030年頃になると人口激減の影響が色濃く表れてきます。働く人数が減るということは総仕事量が減るということですので、これまでの人口規模を前提としたビジネススタイルを貫こうとすると、圧倒的な労働力不足に陥ります。これを解決するには、二つのことを同時に達成しなければなりません。

一つは、成長が期待される分野へと産業構造を集約化していくことです。すべての産業に、少なくなる若年層をこれまで通り分配していくことはできません。もう一つは、働くすべての人がそれぞれのポジションに応じて職能をアップしていくことです。それによって、少人数でも労働生産性をむしろ上げることが可能となります。それは、雇用が流動化し、玉突き的に優秀な人材が成長分野へとシフトする効果も期待できます。

大切なのは、一つ目の産業構造の転換です。「世界的なレベルでのAI対応だ、DX化だ」と言っても、それらはしょせん手段にすぎません。問われているのは、そうした最先端のデジタル基盤を使ってどのような社会変革を起こし、新しい価値を生み出すかです。日本ならではの成長産業を生み出すことができなければ、それこそ日本沈没シナリオが進むでしょう。もう、何もかも集中させて事を運んできた「集積の経済」や、総合百貨店的にあらゆる産業を抱える経済構造ではうまくいきません。これからは過去の成功体験が邪魔になるのです。

牧野 今後、人口減少によって国内マーケットが加速度的に縮むなか、従来のような量的拡大一辺倒での成功は不可能です。

たとえ2倍の売り上げを叩き出しても、利益が2倍になっていなければ（利益率が維持できなければ）、労働生産率が下がっているわけですから、それは良いことではなく、むしろ悪いことであると考えなければなりません。そのためには、ジョブ型雇用の促進が求められるわけですが、これについては、のちほど詳しく論じたいと思います。

河合 企画・開発部門を東京に集中させ、地方に工場を建設して雇用を生み出すモデルは〝一億総中流〟という幻想を創出し、大量生産を可能にしました。それによって日本は高度経済成長を実現しましたし、働く側も終身雇用、年功序列賃金といった安定雇用を享受してきました。これは戦後復興期にあって「東洋のミラクル」と呼ばれるほど見事に成功したわけです。しかし、コンピューターが普及して開発途上国にも先端の工場が建つようになり、日本人の人件費に割高感が出るようになると、日本企業は工場を海外移転せざるを得なくなりました。そして今度は、少子高齢化と人口減少によってこの成功モデル自体が根底から崩壊しようとしているのです。

けれども、「集積の経済」の成功体験があまりに強かったものだから、多くの工場が海外に移転し、小売業やサービス業が中心となって以降も、東京一極集中がむしろ加速しました。現在の東京は過去の成功体験の余熱で〝飯(めし)を食っている〟状態です。この余熱はあと10年ほど続くかもしれず、私は危惧(きぐ)しています。現在の人口規模を前提とした「東京モデル」を意識の中から早急に捨て去ることが必要です。

テレワークの意味が変わった!?

牧野　コロナ禍のなか、在宅勤務の割合は急速に増加しました。東京都産業労働局「テレワーク実施率調査結果」によれば、都内企業（従業員30人以上）のテレワーク実施率は2020年3月の24・0％から、同年12月には51・4％、2021年12月には56・4％になっています。過半数の企業がテレワークを実施しているのですから、定着したと言っていいでしょう。

２０１８年６月に「働き方改革関連法」が成立しましたが、それに先立つ答申のなかで政府は多様な働き方を提案しており、その一つとしてテレワークが挙げられていました。ただ、その時点では補助的な働き方としてとらえられ、育児や介護など通勤が難しい人向けのものでした。そのような環境にいる人も貴重な労働力であり、しっかり就業してもらうために「テレワークという手があるよ」と紹介したのです。

同答申ではサテライトオフィスの提案もし、そのための実験施設を作ったりしました。いずれにしても、都心に通ってオフィスで働くことがメインである前提に変わりなく、情報端末機器が発達しているので、それをうまく使って労働環境の拡大を試みようとしたのです。

このように、テレワークはあくまで補助的なものとして模索されるいっぽうで、もっと積極的な意味で情報端末を持ち歩いて自分の好きな場所で仕事をすることは「リモートワーク」と呼んでいました。今では、当時言われていたリモートワークを含めてテレワークと規定しています。テレワークが定着したことにより、リモートワークがテレワークに包括されてしまったわけです。

河合　テレワークの「テレ」は、「テレポート」「テレフォン」など「離れた場所」を意味し、リモートワークの「リモート」は「遠隔、遠い」を意味します。調べてみると「テレ」と「リモート」は当初から明確な区分があったわけではないようです。

コロナ禍前のテレワークと言えば、通勤緩和もさることながら、防災の観点からの政策立案がなされていました。つまり、自然災害によって都心が壊滅した時のバックアップ機能を持たせようということです。具体的には、立川（東京都）や大宮（埼玉県さいたま市）などをモデル地区として想定していました。

結果的に、テレワークはコロナ禍で急拡大したわけですが、ツールとしてのリモート技術が文系のビジネスパーソンにも容易に使えるレベルになり、一気に普及したことが大きかったと思います。ただ、地域差はあります。東京のなかでも23区が突出しており、同じ大都市圏でも大阪圏はそれほどではありません。前述したように、産業の構成比率が東京とその他の都市では違うからでしょう。大阪圏ではテレワークに向かない仕事が多かったということのようです。加えて大阪圏の場合、東京圏より通勤時間が相対的に短く、通勤中のコロナ感染リスクが東京より低かったことも挙げられるでしょう。逆に、過密化している東京23区の場合は、通勤途中で感染するのではないかという不安が強かったのです。

オフィスの空室率が示すもの

牧野　オフィスの空室率を追っていくと、コロナ禍以前と以後の働き方の変化が如実にわかります。都心5区（千代田区・中央区・港区・新宿区・渋谷区）のオフィスの空室率は、リーマン・ショック後の景気低迷によって2012年には9％という異常な高まりを見せましたが、コロナ禍直前には1・49％と史上空前とも言える需給逼迫（ひっぱく）状況にあり、賃料は順調に上がっていました（図3）。

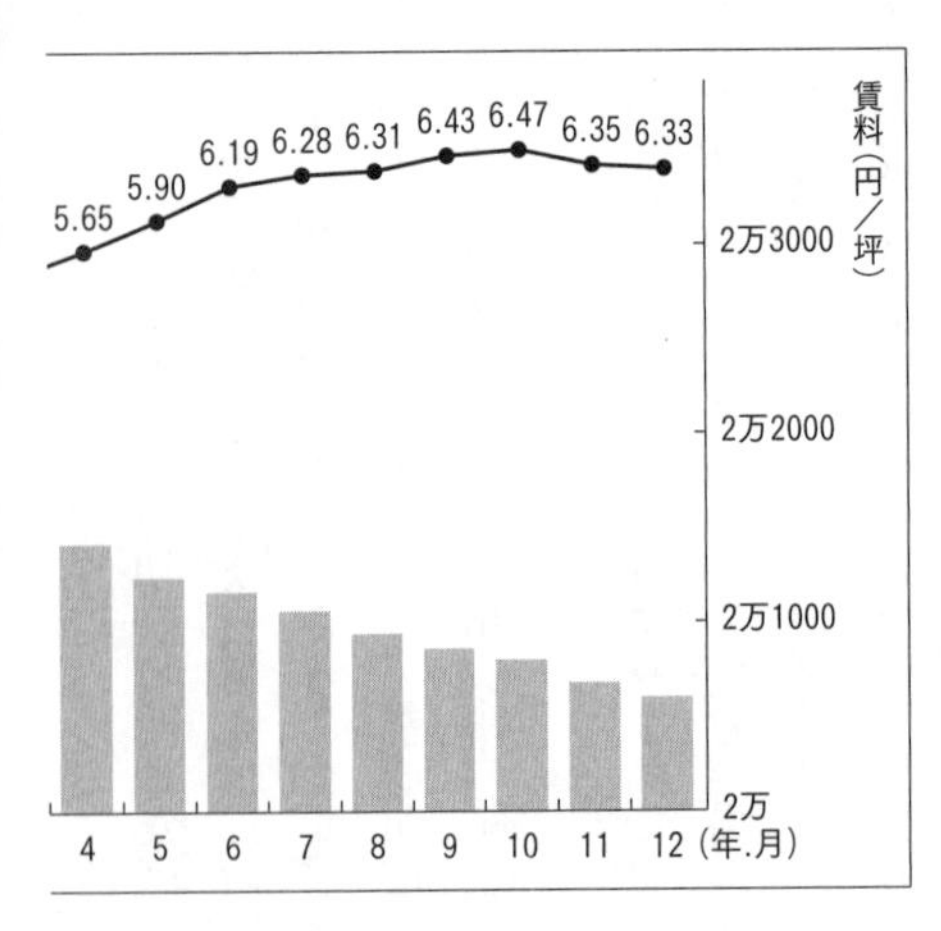

（三鬼商事「最新オフィスビル市況」2021年1月号より）

ところが、2回目の緊急事態宣言が発出された2020年夏が転換点となり、空室率は急上昇。2021年12月時点で6・33％となりました。港区に至っては8％を超えています。不動産業界では、空室率は5

図3 オフィスビルの空室率と賃料

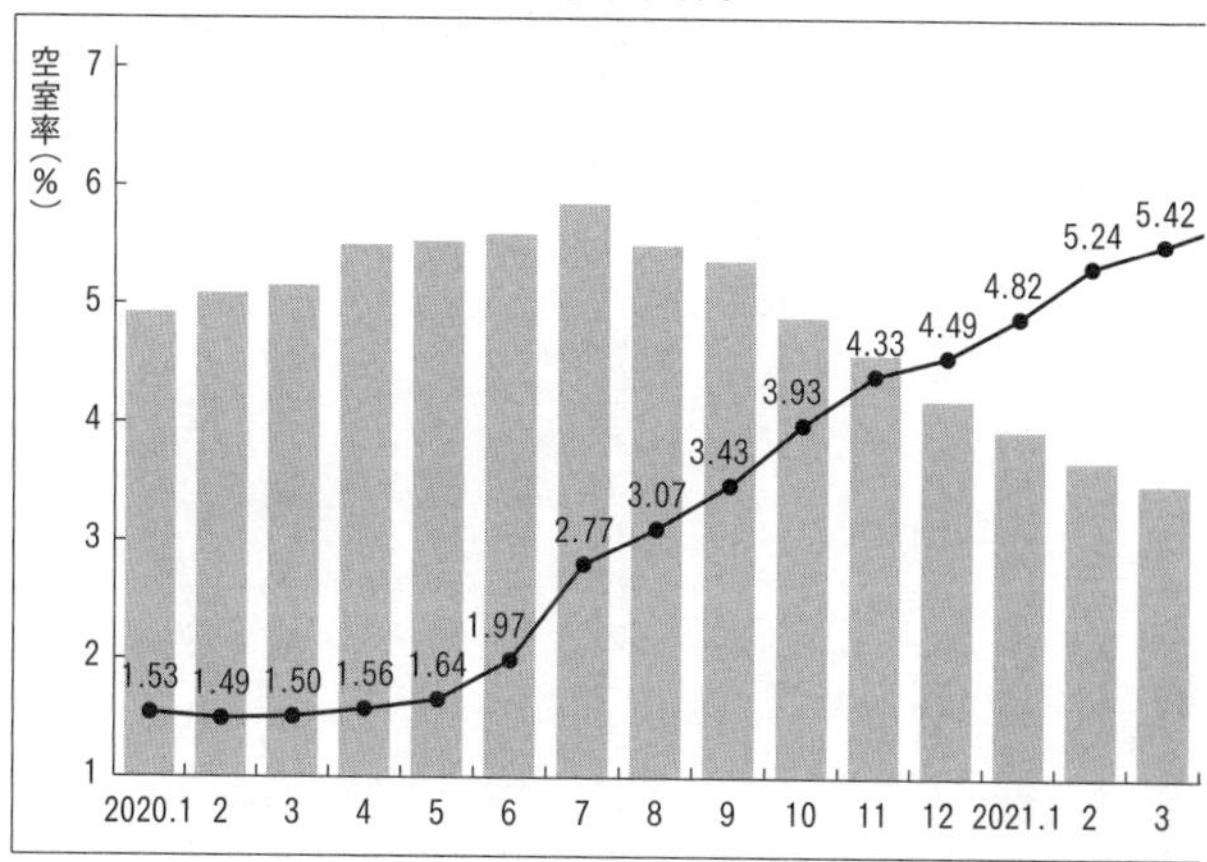

※都心5区（千代田区・中央区・港区・新宿区・渋谷区）の平均空室率と平均賃料

%が分水嶺とされており、これを下回るとオーナー側は賃料など強気に出られます。いっぽう、上回ると値崩れが起こります。港区の8%とはテナントの解約が続き、しかも次が埋まらない状態なのです。ただ、この惨状は東京だけのことで、札幌（北海道）は2%台、大阪も4%台にとどまっています。

札幌、大阪、名古屋（愛知県）などに置かれているオフィスの多くが支社や事業所であり、営業拠点としての位置づけですから、大きなスペースが要らないということもありますが、取引先に会って商談をまとめるという営業職の働き方はあまり変わらないことを意味しています。このように、オフィスの空室率から、情報端末で行なう仕事がいかに東京に集中していたかがわかります。

河合　「テレワークは東京23区の話」とは言いすぎかもしれませんが、ビジネスパーソンには東京という巨大な街での生きづらさから解放されたいという思いが潜在的にあったのではないでしょうか。あまりに長い時間を満員電車に揺られて通勤しなければならない。こうした通勤地獄から解放されたいと願っていた人たちにとって、在宅勤務は願ったり叶ったりでした。であるならば、コロナ禍が収束しても、どれくらいの割合になるかはわかりませんが、元の働き方に戻ろうとはしない人たちが出てくるでしょう。

時間概念の変化

牧野　総合商社に勤める知人に聞いたのですが、コロナ禍でも売り上げは以前と変わらなかったのに、国内外の出張費と接待費が浮いた分だけ利益が上がったそうです。「いかに移動と対面のコストが高かったかがわかった」と言います。実際には、売り上げが落ちた企業もあるでしょうが、コロナ禍により、図らずもコスト削減になったことはまちがいありません。

河合　出張は、出張費というコスト面の問題だけではありません。労働生産性を低下させる大きな要因の一つにもなっています。出張のための移動に要する時間は、言うなれば他の仕事に振り向けることのできない「死んだ時間」です。日本のように労働力が減っていく国では「死んだ時間」を「生きた時間」に変えなくては、生産年齢人口の減少以上に速いペースで総労働時間が縮小してしまいます。「死んだ時間」という意味では、通勤時間の長さも同じことが言えます。

牧野　企業の側からすれば、大勢の社員を都心に集めなくてもビジネスができるし、利益が上がることが、今回の「実験」によって認識された。そうすると、都心で高い賃料を払ってオフィスを借りていることや通勤定期代が削減すべきコストとして挙がってきます。通勤型の働き方が限界に来ていたことが炙（あぶ）り出されたと言えるかもしれません。

河合　出産可能な年齢の女性数が減り始めた日本では、少子化は止めようがありません。年々、若い働き手が激減していきます。限られた労働力で対処するためには、もはや効率性を重視するしかないわけです。これにリモート技術は大きく寄与します。

たとえば以前なら、海外出張の際には都心から成田（なりた）空港（千葉県）へ移動し、そこで飛行機に乗り、目的国まで何時間もかけてフライトしていました。しかし今はZoomやTeamsなどを使えば、自宅に居ながらにして多くの国の人が参加するミーティングができます。「顧客の国の時間に合わせてオンライン会議に参加すると、日本時間では深夜や早朝となってしまい、以前より忙しくなった」と嘆く人もいますが、人事労務管理できちんとコントロールすれば解決できることです。人口減少社会において、私たちは「死んだ時間」を「生きた時間」に生まれ変わらせる意味をもっと重視しなければいけません。しかも、それは社員１人１人から生み出されるのですから、合計すれば膨大な時間になります。

テレワーク時代の人事評価

牧野　リアルの交渉でなくても、情報通信端末でコミュニケーションを十分に取れる時代ですから、それらを使いこなせれば、労働時間の大幅短縮が可能になります。その余った時間で新しいことができます。このことが労働生産性の向上に寄与するのは明確です。

河合　テレワークの課題は、人事評価システムが旧態依然としていることです。新たな人事評価を導入する必要があります。しかし現状では、テレワークによってどのような仕事をいつまでにどう完成させるよう指示すればいいか、という業務命令のノウハウや評価基準ができていない企業が大半です。評価基準が明確でないと、社員のモチベーションは上がりません。ただ、評価基準を設けたから大丈夫という話でもなく、人事評価する側の能力向上も求められます。上司・管理者の再教育も必要ですね。

牧野　テレワークで役割分担が明確になると、上司や経営者が「あいつは社内ではボケッとしているが、情報通信端末で1対1の仕事をさせるとなかなかやる」ことがわかる例が多いようです。しかし、多くの会社が採っている旧来の内申書型の評価システム、つまり満遍（まんべん）なく4や5を取ることが評価される場合、「なかなかやるね」だけで終わってしまい、きちんと評価して組織内で位置づけするところまでには至りません。

しかも、大企業になればなるほど総合評価制度が多くなります。そして総合評価の高い人が用意された階段を上がっていくわけで、一つの突出した能力を発揮して上に行く人は少数派です。テレワーク時代は、個々人の能力が「見える」化します。せっかく発見できた個々人の能力を組み合わせて、より生産性の高い企業に進化していく必要がありますね。

ただ、オフィスに集まることを全否定すると、デメリットも出てきます。私も経験があるのですが、アイデアや仕事の進め方のヒントはオフィスでの雑談のなかから生まれることが少なくありません。1人で考えていても堂々巡りになったり、他人に話すことで考えを整理したりすることができます。何から何まで情報端末一辺倒で効率化すればすべて解決とはいきません。

河合　おっしゃる通りです。テレワークが普及すればするほど、対面でのディスカッションやブレインストーミングの機会は重要になります。みなが各々(おのおの)の場所で仕事をするのが当たり前の時代になると、特定の時間に複数の人が集まること自体にかなりの労力を要するようになり、これまで以上に貴重な機会と位置づけられることになるでしょう。必然的に、「せっかく集まったのだから、何らかの結論や成果を上げなければならない」という意識が強くなり、参加者はかなり綿密な事前準備を求められるようになるかもしれませんね。

会社と個人の新たな関係

河合　テレワークのメリットは会社での働き方が変わるだけでなく、業務時間外の活動の選択肢も広げます。たとえば、国もお墨付きを与えている副業や兼業です。オフィスへの通勤時間がなくなる、あるいは少なくなることで、副業や兼業がしやすくなります。

人口減少のなかで特に懸念されるのは働き手世代の減少です。働き手世代は中心的な消費者でもありますので、それは総労働時間だけでなく、総消費時間の減少にもつながります。こうした状況に対応するには、前述したようにまずは「生きた時間」を増やすことです。人口が減っていくことは止められないにしても、総労働時間や総消費時間の減少をすこしでも食い止めることは可能です。

通勤という、行動が制約される「死んだ時間」が、東京圏では往復2～3時間もあります。通勤自体をなくしたり、通勤回数を減らしたりすることで、これを副業・兼業のための「生きた時間」に回すことができれば人手不足は多少なりとも改善します。また、趣味やボランティアに使えば、消費の拡大にもつながります。こうした考え方は、テレワークが普及する前なら「それはそうだけど、現実は……」と言われたでしょうが、今は十分可能になりました。

牧野　副業と言えば、10年前までは近隣のスーパーやコンビニエンスストアでのアルバイトなどに限られていましたが、今は情報端末を使ってプログラミングやデザインを請け負うこともできます。ちなみに、私の会社のホームページは大阪の人が作っています。発注先はどこでもいいわけですから、海外企業だってかまわない。自宅に居ながらにして労働力が国境を越えて簡単に移動するということになります。空間移動をも含む「自由な時間」の獲得こそ、テレワークの本質ではないでしょうか。

河合　医療の世界では、すでに国際連携が進んでいます。たとえば、ロシアで画像撮影した患者データを北海道の病院で診断し、処置を指示することが行なわれています。また建築では、コンピューターグラフィックスでイメージパース（完成予想図）を作っている事業所の多くは中国の建築事務所や企業です。最近は、ベトナム企業の受注も増えています。

これらのような大がかりなものでなくても、国境を超えて商品名を考えたり、ホームページを作成したりということはよく行なわれています。アフィリエイト（インターネットによる成果報酬型広告）などの副業なら楽にできてしまいます。テレワークの普及は副業・兼業を促し（うなが）、勤務先と従業員という1対1の関係を、複数の会社対それぞれの請負人という多対多の関係に変質させていくのだと思われます。

牧野　自動車産業が典型的ですが、労働集約型産業は全体を構成する強固な組織があって、下請け、孫請けが従属するピラミッドを形成します。その中で仕事を回してモノを製造していました。それが日本企業の強みと言われ、もっとも生産効率が高いと言われてきました。しかし、モノ作りではない仕事には、このようなピラミッドは不要です。情報通信端末を駆使して、フィリピンだろうとシンガポールだろうと、どこでも受発注できるので、水平的に仕事が進められます。ビジネスの世界でのDX化は想像以上に進んでいるのです。

河合　そうですね。今起こっている変化の大半は、コロナ禍によって始まったことではなく、それ以前から予兆があり、取り組みを進めていたものが顕在化したにすぎません。向かっていくべき方向はすでに定まっていたはずなのに、「東京モデル」に象徴される従来のモデルや仕組みを無理して続けようとしていたわけです。それが、良くも悪くも大転換を余儀なくされたのです。

終身雇用の崩壊

河合　2030年の労働環境を考えますと、社内の従業員構成がさらに歪（いびつ）になります。国立社会保障・人口問題研究所（社人研）の推計によれば、2030年に25歳となるのは

110万9000人、35歳は125万9000人、45歳は141万人、55歳は184万3000人で、完全な逆ピラミッドです。もちろん、これがそのまま各企業の従業員構成にスライドするわけではありませんが、人口が増えていた時代のようなピラミッド型に戻すことはもはや無理です。

従業員構成のピラミッドがこれ以上崩れてくると、年功序列による賃金制度がもたなくなってきます。給与水準の高い中高年が組織に占める割合が大きくなりすぎて、総人件費が膨張するからです。2030年はそうした節目(ふしめ)の年となるかもしれません。

若い世代の人数が減る分を、定年延長などによって穴埋めしようという企業も増えるでしょう。そうなれば、なおさらです。全体の勤務年数が長くなることで、総人件費を薄切(うすぎ)りにして個々に給料を配らざるを得なくなります。しかし、それでは年齢が若い従業員ほど割を食います。給与が上がりきっていない段階で昇給カーブが抑え込まれるためです。結果として、生涯賃金にかなりの差がつくとなると、組織全体に不満がたまります。

若年層の給料を抑えて、就業年数と経験を加味して給料を上げていく年功序列制度は、従業員が会社へのロイヤリティを保つモチベーションの一つでした。たとえ嫌(いや)なことがあっても頑張って勤め続ければ生活が豊かになりました。自分の将来も先輩や上司を見れば、およそ見当がつきました。年功序列制度が崩壊すれば、何歳で家庭を持ち、何歳でマイホームを持てるのかといったライフプランは描きづらくなります。

年功序列が維持できなくなると、終身雇用も崩壊します。個々人にとっては長く勤めていても給与が上がるとは限りませんので、より良い条件を求めて職場を移る人が増えるからです。しかし企業が、若い人が減り続けるなかでの終身雇用を続けようとすると、各職場で世代交代が行なわれづらくなるわけですから、組織の新陳代謝が進まず、「馴(な)れ」やマンネリが起こるようになります。年功序列も終身雇用も、常に社会に一定規模の若年層がいるからこそ成り立つ仕組みなのです。

さらに、少子高齢社会においては、雇用の偏在も懸念されます。若年層の絶対数が減るのですから、成長産業やリーディングカンパニーが若くて有能な人材を囲い込んでしまうと、そうではない企業・職場は思うように人材を確保できなくなります。

近年は、新卒者に年収1000万円を払って囲い込む企業も出てきましたが、これはいただけません。1000万円を発射台にして、ずっと上げていけるかというと難しいでしょう。成果が出せなければ賃下げと降格が待っています。ドラフトで入団したプロ野球選手のようなもので、入団の年こそ1000万円もらったけれど、数年後には450万円になっていたということもありえます。結局、生涯賃金で見たら、変わらなかったということになりかねません。

多くの職場で若年層が少なくなると、イノベーションや新たな発想が生まれづらくなります。新規採用者の数が少なくなると、即戦力としてすぐに成果を期待されるようになり、中高年の先輩社員のやり方に取り込まれてしまうからです。

イノベーションが起こりやすい環境を作ろうと思うなら、若者をなるべく集めて競(きそ)わせることです。それには、若い優秀な人材を1社で囲い込むのではなく、他社に貸し出したり、シェアしたりする発想に切り替えることです。雇用を流動化させるのです。事業ごとに必要な人材をヘッドハンティングし、あるいは優秀な人材が立ち上げた企業とタイアップするのもよいでしょう。優秀な若手人材がスキルアップを図りながら、どんどん成長分野に移っていくぐらいにならないと、人口減少下における日本経済は活性化しません。

牧野 現在、「終身雇用は維持してくれ。定年は延長してくれ」と希望する中高年の社員が多いようですが、新入社員や入社3年目くらいの社員にアンケートをすると「この会社にずっとはいない。転職も考えている」という回答が圧倒的に多いそうです。

河合 そもそも、今の優秀な若者たちの多くは、一つの会社に終身雇用で「就社」するという発想を持っていません。自分が成長できないと思えばさっさと見切りをつけて、勤務先を替えていきます。若年層は年々急減していくわけですから、もう企業は新卒者を争奪するという考え方から卒業すべきなのです。新卒にこだわるのではなく、能力をしっかりと見極めてどんどん中途採用することです。業務委託契約を結ぶのもいいでしょう。

話はすこし変わりますが、日本企業が成長しない理由の一つに、日本人全体のスキル不足があります。ただでさえ人口が減っていくのですから、先述したようにそれぞれのレベルに応じて個々人のレベルアップを図らなければ、生産性も上がりません。そして、それは雇用の流動化と表裏の関係にあります。個々人の能力が上がれば、もっと給与の高い仕事に就きたいと思うのが当然で、転職が活発化するからです。このように日本社会全体として個々人の能力を向上させながら雇用の流動化が進む状況を作っていかないと、いつまで経っても成長分野が育ちません。

雇用の流動化に関しては、副業・兼業の広がりが背中を押すきっかけの一つとなりそうです。本業に活かしたいとか、家計の足しにしたいという動機で始める人も多いですが、副業・兼業先での経験はスキルアップにもつながります。転職にまで発展しなくとも、定年後の再就職において有利に働くことでしょう。2030年までにはかなり拡大すると思います。

いっぽう、企業にとっては、副業・兼業はＤＸを推進するにあたって労働生産性の低いベテラン社員を減らす体のいいリストラ策となっている側面もあります。日本では、簡単には従業員の首を切ることはできません。企業の本音としては「副業・兼業を認める代わりに給料を抑えます。それが嫌なら自発的に辞めてください」ということでしょう。

誰もが知っている大企業までが黒字リストラに踏み切り、週休３日・４日を公然と言い始めたのは、ＤＸを推進していくにあたって組織をスリム化しなければ生き残れなくなったからです。「休みの日は何をしてもかまいませんが、ギャラは勤務日数分だけ支払います」ということです。

日本流ジョブ型雇用

牧野　テレワークにはハードなところもあります。これまでは、９時に出社して机に座れば、自然に仕事が流れてきて、それを片づけていればよかったのが、テレワークになると９時からはこの仕事、10時からはこの仕事と、自ら時間割化して仕事を片づけていかなければなりません。終身雇用&年功序列の時代は、会社というヴィレッジに所属すること自体が「仕事」だったとも言えますが、自分で自分の仕事をコーディネートする時代になると、働き方を「ジョブ型」に変えていく必要があります。ジョブ型に切り替えられれば、転職もしやすくなります。

河合　そうですね。「メンバーシップ型雇用」の日本企業では通常、就業規則にはその組織（会社）で働くことは明記されていますが、職務は記載されていません。入社して配属先で上司が仕事の分担を決めるまで、どのような職務に就くかはわかりません。

これに対してジョブ型雇用は、職務が明確化されている雇用スタイルです。ジョブ型の雇用契約に書かれた職務が不要となれば解雇となります。日本企業の終身雇用は「メンバーシップ型」ゆえに成り立ってきたとも言えますが、職場が家族的となりがちで、労働生産性が上がらない要因の一つになっているとの指摘もかねてよりありました。

牧野　私が勤めていたボストン コンサルティング グループ（BCG）には、多種多様な業界の企業がコンサルタンティングを依頼してきますが、BCGはそのほとんどに対応しています。では、BCGが各業界の詳細を知っているかというと、そんなことはありません。職員はみなジョブ型の仕事をしており、そのため経営の勘どころを知っているからできるのです。具体的には、「まず問題を整理して、目指すべき戦略を立てる。そしてこのような形で組織を変え、戦力を配置すれば会社の業績は良くなる」となります。何かすごいことをしているように見えますが、コンサルタントとしての単なるスキルの提供であり、それはジョブ型の仕事から得られたものです。

河合　日本では諸外国のように、報酬も高いが簡単に解雇されるといったジョブ型雇用が簡単に普及するとは思えませんが、大企業を中心に管理職や特定の部門を対象としてミッションを与え、人事評価を行なう「日本流ジョブ型雇用」を導入する動きが始まっていることは注目に値(あたい)します。今後は、こうした「日本流ジョブ型雇用」が確実に増えていくでしょう。年齢にかかわらず、実力に応じて給与を増やす仕組みに移行しない限り、若年層が減少する状況に太刀打(たちう)ちできないからです。

牧野　これからの日本では、雇(やと)う側である企業は「終身雇用をしてもかまいませんが、年功序列はあきらめてください」と言うでしょう。これは、たとえば「50歳になったら、一部の人は除いて、新入社員当時の月収25万円になります。また、仕事も限られます。それでかまわないなら、どうぞわが社にいてください」ということです。

河合　このところ、いくつかの会社で試みられている、手挙げ方式で課長や部長になるという人事方式があります。これもジョブ型雇用の一形態と言えるものです。名乗り出て、任せるに値する能力があると判断されれば課長や部長に抜擢(ばってき)されますが、与えられたミッションをこなせなければ降格もあります。組織に対して成果の請け負いをして、自分の能力を評価してもらう形式です。

年功序列型賃金体系が難しくなる今後は、上司から命じられたことをこなしているだけでは給料はほとんど上がらないということも増えるでしょう。そうなれば、若い人に限らず、会社にリストラされる前に本人が自分の適性に合った職場へと移っていくケースが増えるかもしれません。形はどうであれ、雇用が流動化していくなか、多くの人がそれぞれのレベルに応じてスキルをより高めることができるよう、公的機関が中心となって簡単に再教育を受けられる仕組みを整(ととの)えていくことが課題となります。

牧野　2021年9月、サントリーホールディングスの新浪剛史(にいなみたけし)社長が経済同友会の会合で唱えた「45歳定年制」が物議を醸(かも)しました。言葉だけが独(ひと)り歩きしましたが、これは「70歳まで働けたとしても給料はうんと下がります。自分でジョブを磨(みが)いている人なら45歳前に会社を出て新しい人生を切り開いてください」と言っているのです。そういう人が社会でスムーズに受け入れられる雇用システムを構築することが肝要なのです。この発言に対して多くの批判が寄せられたのは、まだまだ会社にぶら下がることでしか生活ができないビジネスパーソンがいかに多いかを物語っていると思います。

リスキリング

河合 雇用の流動化と言えば、2017年、メガバンク3行が申し合わせたかのように、大規模なリストラを宣言しましたが、これは象徴的でした。銀行は定型化した業務が多く、正確性が求められますから、AI化したほうが効率的というわけです。

牧野 決済をはじめとする金融システムはこれからもなくならないと思いますが、金融機関が現在の形で存続が可能かどうかは疑問です。少なくとも、本店や支店の机に大勢の人間が座って働くスタイルはなくなるかもしれませんね。実際、メガバンクは店舗数の大幅縮小を発表しています。

河合 これは銀行に限りませんが、AIへの移行が先行しているアメリカを見ても、中スキル層の仕事はなくなる傾向にあります。18世紀後半の産業革命でさまざまな仕事がなくなって機械に取って代わられたように、2030年までには今就いている仕事からの転換を余儀なくされる人も出てくるでしょう。

しかしながら、社会を大きく変える技術革新が登場して、多くの仕事がなくなっても、必ず新しい仕事が誕生してきます。社会に新しいニーズが生じればそれに応じる仕事が生まれ、誰かがそれを担うことになるのです。こうした状況を睨んで、各社ともすでに社員に対して、新業務に必要となるスキルを習得させる「リスキリング」に力を入れ始めています。

いっぽうでリスキリングでは対応しきれない職種の人もいるでしょうから、そうした意味でも雇用を流動化させることが重要なのです。とはいえ、年齢にもよりますが、いきなり畑違いの仕事は難しいでしょう。昨日まで銀行員だった人が今日から高齢者のおむつを替えるというのは現実的だとは思えません。今就いている仕事の隣、またはその隣の仕事にギアチェンジしていくイメージで進んでいくのだと思います。

牧野　銀行に勤めていることにステータスがあった時代は、すでに終わっています。今は銀行内で自分のジョブ能力をどれだけ磨いたかが問われているのです。店舗数や人員の削減は、このことを明確化させたと思います。

私は大学卒業後、銀行（第一勧業銀行、現みずほ銀行）→コンサルティング会社（ボスト

ン コンサルティング グループ）→不動産会社（三井不動産）と渡り歩いてきましたが、自身の職能が1本でつながっているのは、自らジョブ機能を磨き続けてきたからです。こういう話をすると、「それは牧野さんに能力があったからでしょ。優秀な人はともかく、私にはできません」という反論が来ます。しかし、私はそうは思いません。多くの人は自分のジョブ機能や能力に気づいていないだけなのです。

能力と言うと、きわめて高い水準をイメージしがちですが、自分の「得意なこと」「できること」であり、それはこれまでこなしてきた仕事を棚卸（たなおろ）しすることで、わかります。要は気づくか、気づかないかです。社会の側にも（行政が担うべきだと思いますが）、その人のジョブ機能を発見する、手助けをするシステムがあることが望ましい。そうでないと、多くの人は気づかないまま歳（とし）を取ってしまいますから。それでも見つけられない人や新しい仕事になかなか適応できない人は、社会保障で救うべきです。

リカレント教育

河合　社会全体としてのスキルアップの必要性を説いてきましたが、昨今「リカレント教育」の必要性も多く語られています。これは個々人が自らテーマを定めて大学院などで学び直すことを意味し、言わば自己投資です。

社会の変化が激しい時代ですので、先端技能もあっという間に陳腐化してしまいます。自分の知識をアップデートするために時間を費やすことは、これからのビジネスパーソンにとって不可欠な要素です。誰かに言われてやるのではなく、自ら能力を高めて自分で道を切り拓いていくのもよいと思います。

牧野　その通りですね。たとえば、ある化粧品メーカーに勤めていた人がスキルを磨けば、他の業界・企業で働けるはずなのに、「私は化粧品しか知らないので……」と知らず識らずのうちに自分の可能性を狭めてしまっている現実があるからです。化粧品メーカーでの商品企画力やマーケティング能力が他の業界でも役に立つ。これは、コンサルティング業界で仕事をしてみるとよくわかります。仕事には共通項が意外に多くあるのです。各自でスキルアップすることが雇用の流動化を促すことは確実で、その波に乗るべきです。それに、意識する・しないにかかわらず、多くの人がスキルを身に着けることに取り組み始めています。

河合　個々人がスキルアップせざるを得ないのは、人生において働かなければならない期間が長くなったことも一因です。

昭和の頃は20歳そこそこで就職して60歳前後の定年まで約40年間働き、その後は年金を受給して75歳あたりで亡くなりました（1989年の平均寿命は男性75・91歳、女性81・77歳）。しかしその後、平均寿命が延び（2020年の平均寿命は男性81・64歳、女性87・74歳）、年金の受給開始年齢もだんだん後ろ倒しとなり、働き続けなければ長い老後の生活資金が不足するようになりました。自分のライフプランに仕事を位置づけた時、長寿化の影響を考えないわけにはいきません。

多くの人は定年後も同じ会社で働き続けたいと願うわけですが、就職してから50年近くも働かなければならないわけですから、勤めていた会社のほうが先になくなってしまう可能性だってあります。これまで企業の寿命は30年と言われてきましたが、今や平均すると20年超です。人の一生より圧倒的に短いのですから、若いうちから定年後のことを考え、再就職先や新たな仕事を求めてスキルアップをしておかなければなりません。

牧野　公的機関がそのための準備や手伝いをすることも必要です。海外では充実している、ジョブを磨く学校があればいいですね。また、大学を卒業してすぐ就職する以外にも道が準備されていることが理想です。卒業後しばらく国外で生活をして、これからの人生設計を考えてみるなど、海外の学生たちはそのようなモラトリアム期間を設けて、しっかりとした職業観を持ってから社会に出ています。

２０３０年には「○○大学卒業です」だけで就職先はもちろん、幸福な人生が保証されるようなことはないと思います。これまで、いい大学に入ることはいい会社に入るパスポートを意味していましたが、今後は〝面接〟駅の入場券ぐらいにしかならないでしょう。ましてや、卒業後に一つの会社で順調に出世して定年を迎えるような人は絶滅危惧種になっているかもしれません。

河合　日本では、新卒後3年以内に辞める人が多いと言われ始めてから、すでに10年以上経っています。若年層の雇用流動化がかなり進んでいる背景には、「会社」は自分たちを守ってくれるわけではないという警戒感があります。もっと言えば、「会社」を信用していない。人生を渡っていくためには、どこでも通用するスキルを身につけることが重要だと理解しているのです。それは本来40代でも、50代でも同じことなのですが、その多くは「会社に勤めてさえいれば何とか逃げ切れる」と根拠なき願望のようなものに縋(すが)っていますよね。

課長、部長が会社を渡り歩く

牧野　私が経営している「全国渡り鳥生活倶楽部」には正社員がほとんどいません。多くの仕事が、マネージャーを含めて業務委託です。彼ら・彼女らはコンサルタンティング、金融、ＩＴ、不動産など本業を持ち、副業・兼業として業務を行なっています。実際には、文化祭のノリで「おもしろそうだから加わらせて」と事業ごとに出たり入ったりするアメーバ型の組織です。それで十分機能していますし、成果も上がっています。彼ら・彼女らは本業では得られない、ベンチャーならではのやりがいやおもしろさなど多くの収穫を得ているようです。これもスキルを持つ人たちが縦横無尽に集まって個別の仕事をするという、新たな働き方です。

河合　牧野さんは、時代を先取った取り組みをされていますね。私が経営者だったら、部門のマネージャーにはビジネス適応力の高いハイパフォーマーを就けます。あるいは外部から有能なマネージャーをスカウトしてきます。

多くの日本企業はメンバーシップ型雇用による年功序列人事なので、ビジネス適応力を評価する発想に乏（とぼ）しいところがあります。結果として、ハイパフォーマーが育たないか、いたとしても飼い殺しにしています。長年勤務した社員が順送り人事で昇格しただけの管理職では、高度経済成長期ならともかく、生産性が向上しないのも当然です。

ジョブ型雇用が進むであろう2030年にはビジネス適応力を測る指標も普及していることと思いますが、もし飼い殺しするような企業ならば、ハイパフォーマーはさっさと転職するでしょう。能力を売る人が課長職や部長職で処遇してくれる会社を渡り歩きながら成果を上げ、さらにステップアップを図っていくスタイルが一般化していくと思います。また、人口減少社会ではそれぐらいでなければ、日本経済は活性化しないでしょう。

牧野　もう、社内闘争や社内政治で伸し上がっていく昭和・平成の出世双六が通用しないことを覚悟しなければなりません。いかに職能ごとに能力を高めていくかが問われているのです。そうでないと国際競争力を維持できなくなるでしょう。ただ、誰もが知っているような大企業ほど、この転換が後れていることを感じます。データ改竄などの不祥事はそれを象徴しています。プロのマネージャーだったら、たとえ経営者に指示されても、絶対に看過しませんから。

これだけ日本の産業が弱り、経済成長の陰りが露呈してしまっている以上、マネージャークラスはもちろん、プロ経営者によってジョブ型雇用による成果重視を掲げる以外に取るべき道はないでしょう。最後は問題を起こしましたし、すべてを称賛するつもりはありませんが、カルロス・ゴーンが日産をどう変えたかを改めて考えてみるべきです。

学ぶべきスキル

牧野　スキルアップするための最初の一歩は、テレワークによってなくなる通勤時間を自分の時間割に組み込むことです。1日往復3時間として週4日をテレワークにした場合、1カ月で約50時間、1年で600時間になります。この時間をスキルの再構築に充てれば、空いた時間を何となく過ごしてしまう人とは大きな差がつきます。

その際の落とし穴が資格取得です。ビジネスパーソンの多くは、時間ができると資格を取ろうとします。それ自体は悪いことではないのですが、実は、資格が自分の仕事につながらないケースがほとんどです。たとえば、銀行員は中小企業診断士などを取得しますが、名刺に刷られる肩書の〝添え物〟にしかならず、具体的な役に立つことは稀です。

それよりも、自分の専門領域を広げて学んでみることです。河合さんが言われたように「今就いている仕事の隣、またはその隣の仕事」を知ることです。たとえば、経理職なら他社の財務戦略や経理にまつわる法律などを実例として学ぶほうが、有効なスキルアップになります。

資格取得は主宰している〝胴元〟が儲かるだけで、資格だけで食いっぱぐれがないのは医師くらいでしょう。極端なことを言えば、医師は病気になる人がいる限り、自らのスキルさえあれば成り立ちますが、弁護士にしろ税理士にしろ、顧客獲得の人脈や営業がなければ成り立ちません。公認会計士も、多くが組織に所属したビジネスパーソンです。

例として経理職を挙げましたが、自分が所属する会社でしていないことを他社で行なっていたら、貪欲に学ぶべきです。それは、まず具体的な内容を知ることから始まり、時代の流れや業界のなかでどこに位置するのか、どのような経営戦略にもとづくのか、と発展させていく。つまりボトムからトップに上げていく。

ビジネスは複眼的な発想を持つことが重要です。会社という一つのヴィレッジの中だけの価値観から脱け出して、他社・他業界の知識をいかに身につけるか。守備範囲を広げれば、攻撃目標をさまざまな角度から見ることができ、新しい発想や考え方を採り入れやすくなります。そのためには同じ会社、業界の中だけで人脈を持つのではなく、積極的に他の世界の人たちとつきあうことです。巷では異業種交流会が盛んですが、名刺交換を行なうだけではなく、共通のテーマについて意見交換をすべきです。最初は飲み友達、趣味友達でもよいですから、親しくなることから始めてもいいでしょう。

河合　昭和・平成の時代、レジャーランド化した大学を卒業して、まっさらの状態で入社し、それぞれの会社色に染まれば良しとされてきました。そして個々人の能力より、チームワークや協調性に人事評価の光があてられました。

しかし、そのようなことはもう通用しません。デジタル化が進むと、上司が部下に指示するという縦型の組織も不要となります。指示出しするだけの中間管理職も要らなくなり、業務の指示は個別に通知されるようになります。そうなると、文系の人もDXに付随するテクノロジーに対応しなくてはなりません。もちろん、最先端のデジタル技術について専門的な知識まで理解する必要はありませんが、最低限のことは知っておくことです。

DXを単なる業務の機械化にとどめている企業が少なくありませんが、これはまちがいです。重要なのは、DXによってどんな社会変革を成し遂げ得るかを理解し、目標を立てることです。しかし、付加価値や新しいサービスがどのようなものかを考えるのは最先端のデジタル技術者ではありません。長年にわたり現場で仕事をしてきた一般社員こそ、自社が持つ能力や強みを一番よく知っています。こうした人たちが、デジタル技術を使ったならばこんなことができないかということを提案すべきなのです。それを経営者が取りまとめ、技術者たちに実現させていくこととなります。一般社員は、技術者たちに要望を伝えられる程度にＤＸを理解すべく勉強すればいいのです。

今後のビジネスパーソンにとって、もう一つ必要となる知識は知的財産権（知財）です。これは、人口が減る日本にとって大きな武器となります。知財について、日本人は無知すぎるところがあります。あまり意識が向いてこなかったというのが実情でしょう。

しかし今後は、少子高齢化で国内マーケットが劇的に縮みますから、中小企業を含め多くの企業が海外に進出し連携しなければなりません。これまで日本企業が中国企業に対して知的財産権の侵害を咎めることが多かったのですが、近年は外国企業から日本企業が訴えられるケースも増えており、今後はますます増えるでしょう。日本人が感覚的に常識としてきたことが衝突する時代です。日本企業は自らの優位性を侵害されないよう、各国でも特許権などを取得しながら、国際競争力をつけていくことが重要となります。

海外に打って出るには国際標準も大事です。これまで多くの日本企業は国内マーケットを相手にしてきたので、国内ニーズに合わせて独自の進化を遂げるケースが少なくありませんでした。しかしながら、海外で勝負する以上は、どんなに優れた製品であっても国際標準から逸脱したのでは売ることができません。かつて日本は「ガラケー」と呼ばれる携帯電話やテレビで痛い目に遭いましたが、あのような失敗を繰り返してはなりません。

そのためにも、弁理士のような専門知識まで身につける必要はありませんが、ビジネスをするうえで最低限必要となる知財や国際標準の知識ぐらいは理解しておくべきなのです。それは無駄なトラブルを避けるだけでなく、新たなビジネスの糸口が見つかることになるかもしれません。

牧野　国内マーケットが主体であれば、製品の送り手（作り手）と買い手は同じ日本人ですから、同じ価値観で仕事をしてこられました。具体的には「作り手がいいと思ったものはヒットする」という発想でやってこられた。

しかし、これからは海外ではもちろん、国内でもさまざまな価値観を持つ人たちを相手にしていかなければなりません。そう考えると、知財の勉強は自分たちの持っている力、その足元の見つめ直しの作業でもあります。無償で提供しているものが金になる「打ち出の小槌」を見つけることにもなるのです。

DXの罠（わな）

河合　繰り返しとなりますが、DXによって奪われる仕事は必ず出てきます。たとえば、経理や総務の業務がAIなどに置き換わりやすいと予測されていますが、そうなると担当者のなかには別のセクションに移らざるを得ない人が出てきます。任される業務内容が変わらなくても、仕事の進め方は大きく変わるでしょう。

牧野　弾（はじ）き出された人たちは慣れない仕事をすることになりますから、事故も増えるでしょうね。企業としては、これを機にリストラを加速するかもしれません。DX化を進めて人件費を抑制したい雇用側と、何としてでも雇用を守りたい従業員側の間には埋められない溝（みぞ）ができることになります。

河合　意外に思われるかもしれませんが、デジタル化が進むと、低スキルの仕事がむしろ増える可能性が出てきます。それは、AIや機械に置き換えられない仕事や、AI化するための投資額に比して人を使ったほうが割安な仕事です。

たとえば宅配業務の場合、集荷所まではAIを搭載した無人運転のトラックで運べても、商品を戸口に届ける業務や、冷蔵庫や洗濯機の備えつけおよび取り換えて不要となったものを引き取るといった業務は、人間でなければできません。そこまでできるロボットはまだ開発されていませんし、開発されたとしても、投資額はパフォーマンスに見合わないでしょうから、それよりも人間を安く使ったほうがいいということになるわけです。

ＡＩ化に向かない低スキルの仕事だけでなく、臨機応変に対処しなければならない業務も、人間のほうが得意だと思われます。「デジタル化やＡＩ化で仕事の９割がなくなる」といった見立てをする人もいますが、そう単純ではありません。ただ、そうは言っても、簡単にＡＩに取って代わられないように、自分が持ちうる「人間ならでは」の能力を見つめ直しておくことは大事だと思います。

牧野　ＤＸ化という時代の変化をとらえて対処しなければなりませんね。このことを軽視していると社会の底辺層に簡単に滑(すべ)り落ちることも想定されますね。改めてスキルアップの重要性を感じます。

第2章

家族はこうなる

手術が半年待ち!?

河合　東京都の人口は2025年にピークアウトを迎えるまでは増え続ける見通しですが、2030年には本格的な人口減少社会に突入しています（図4）。2020年の総務省「国勢調査」によれば、5年前の前回調査から人口が増加したのは東京都、神奈川県、埼玉県、千葉県、愛知県、滋賀県、福岡県、沖縄県だけですが、このなかで増加数が圧倒的に多かったのは東京都です。

日本の新生児の8・4人に1人は東京生まれで、年間の出生数は10万人弱です。日本でもっとも子供が生まれているのは、実は東京都なのです。その理由は地方から20代の女性が移り住んでいるからですが、同時に子供を産める年齢の女性がたくさんいる割には出生数が少ないとも言えます。東京では未婚や晩婚が進んでおり、人口の再生産がうまくいっていません。にもかかわらず、東京都が人口を増やし続けてこられたのは、それ以上に多くの人口を地方から吸い寄せてきたからです。

コロナ禍にあっても、東京都への転入超過の流れは止まっていません（図5）。しかしながら、人口減少社会ではこうしたカラクリは続きません。東京に人を送り出してきた地

図4 東京都の人口推移と高齢化率

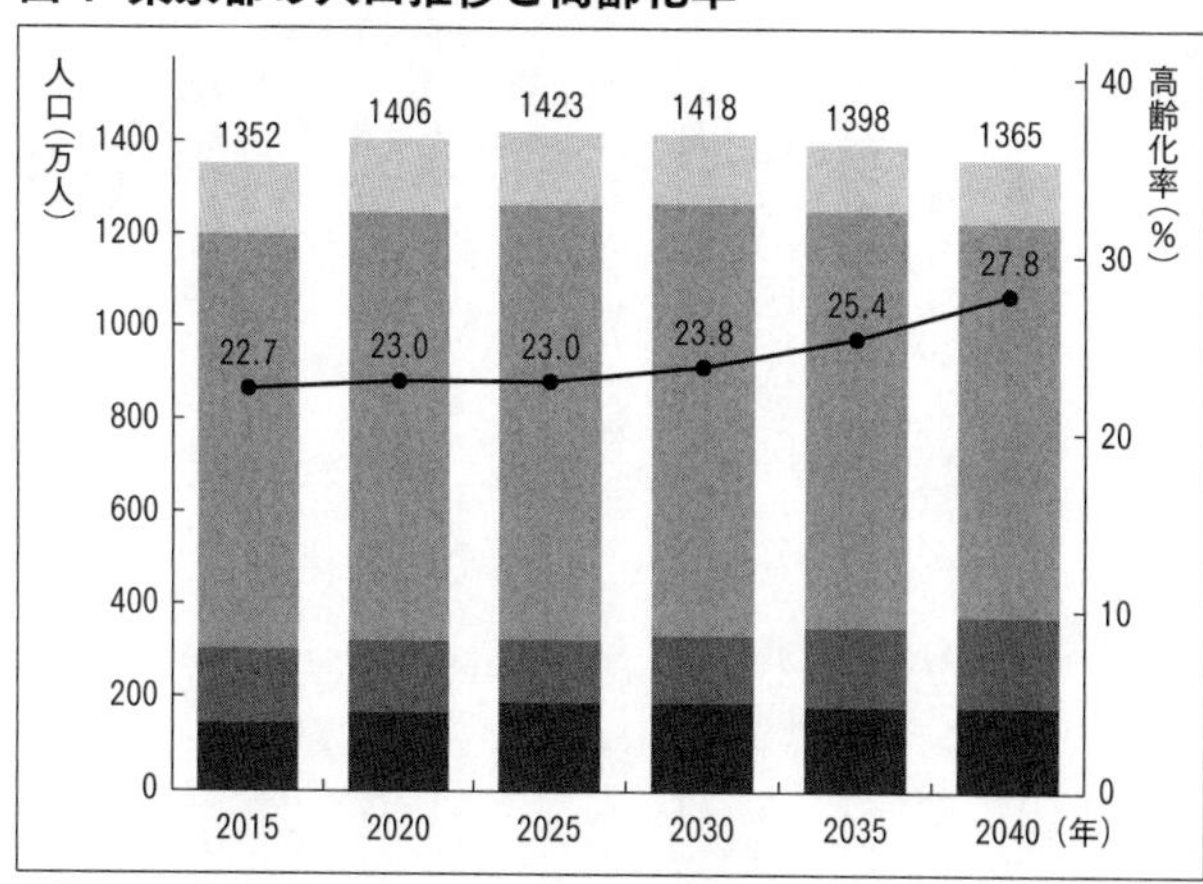

※ 0〜14歳 15〜64歳 65〜74歳 75歳以上

（東京都総務局「東京都の人口（推計）」より）

図5 東京都の転出入者数の推移

年	転入	転出	転入超過
2014	431,670	355,643	76,027
2015	456,635	372,404	84,231
2016	445,306	370,982	74,324
2017	453,900	380,776	73,124
2018	460,628	380,784	79,844
2019	466,849	383,867	82,982
2020	432,930	401,805	31,125
2021	420,167	414,734	5,433

※単位：人

（総務省「住民基本台帳人口移動報告」より）

方の若年層が枯渇するからです。２０２５年に東京都の人口がピークアウトを迎えるのはこのためです。以後、東京都は萎（しぼ）んでいくこととなります。

しかも、これから確実に起こるのは、地

方の高齢者の流入です。先行して人口減少の波に洗われた地方では、1人暮らしの高齢者の生活が成立しにくくなるからです。東京に住む子供世帯は「地元では介護サービスが近くになく、買物もできず、家の補修も困難。だったら、自分たちの目が届く東京に来てもらおう」となります。「家賃の高い都心は無理かもしれないが、多摩地区や隣接3県になら呼び寄せられる」と考えるわけです。

牧野　2030年までに解決しなければならないのは、高度経済成長期以降、地方から東京に流入した多くの若年層が高齢化することで起こる、高齢者の増大問題です。加えて現在、現役の人たちの親まで東京に流入するとなれば、介護に関する人員と施設不足に拍車がかかります。逆に地方の介護施設は現在、空床(くうしょう)が目立つようになっています。

河合　地方の医療機関・介護施設では患者や入居者だけでなく、医師や看護師、介護スタッフの高齢化も進んでいます。言わば、高齢者が高齢者を診(み)ている状態です。その後は入所者が少なくなって経営が成り立たない介護施設が出てきます。すでに、そうした状況を見越し、東京圏の介護サービス需要だけが伸びると予想して、川崎(かわさき)(神奈川県)など東京都の近郊都市に拠点を移す例が見られるようになりました。とはいっても、こうした動きが東京圏の医療・介護施設不足を解消するかと言えば、焼け石に水です。高齢者の激増に施設整備はまったく追いついていません。２０３０年頃には、問題化すると思いますよ。

牧野　千葉県の某総合病院の院長に「牧野さん、いくつになりました？」と聞かれたので、「60歳を超えまして……」と答えると、「東京から脱出したほうがいいですよ」と言われました。その理由を聞いて、愕然としました。

「あと10年もすれば、東京では手術が半年待ちになるでしょう。歳を取れば、確実にどこかが悪くなります。たとえば、がんが見つかってもすぐには手術できないのです。それでもいいですか？　半年間待つ覚悟はありますか？」

東京の医療機関はそれだけ逼迫しているのです。「西日本に移住したら、手術の半年待ちはないですよ」とも言われました。将来の医療ニーズと人口のアンバランスを現場の医師が危惧しているのです。

河合　患者が集まらなくなれば病院は移転するでしょうから、西日本で病床が余るようなことはないでしょうが、医療の地域偏在がすでに深刻化していることは事実です。今後は高齢者が激増する東京圏と、医療スタッフまでもが減っていく人口激減地域を中心に、医療・介護崩壊が懸念されます。

単身高齢者の増加

牧野　２０３０年の家族形態の変化を考えてみましょう。今後の東京は、単身者の急増が予想されます。単身者と言うと、大学に入ったり就職したりしてワンルームに住む若年層を想像するかもしれませんが、２０３０年の単身者は1人暮らしの高齢者です。東京で高齢化した人と、前述のように地方から呼び寄せられた人です。

平均寿命が延びることで配偶者と離別・死別する高齢者が増加するうえ、未婚率が上がっているため、単身高齢者世帯が増えます。その数は、２０３０年代半ばから２０４０年に向けて加速度的に増え続けます。ちなみに、現在の日本の高齢化率（65歳以上の人口割合）は28・6％です（総務省「令和2年国勢調査」より。内閣府「令和3年版高齢社会白書」では28・8％）。もはや、国民の3分の1近くが高齢者なのです。

河合　高齢者数がとりわけ増えるのが東京の都心3区（千代田区・中央区・港区）です。社人研の推計によれば、２０４５年に千代田区の高齢者人口は２０１５年の1・86倍、中央区は1・95倍、港区は1・99倍です。２０３０年としても、千代田区1・26倍、中央区1・25倍、港区1・33倍です。近年の都心回帰の流れに乗って、若くして成功した人たちに加えてゆとりのある中高年が都心３区にマンションを買う動きが目立ちましたが、その人たちが高齢化するということです。都心３区はビジネス中心の街づくりとなっていますが、これからは高齢者にとっても暮らしやすい街にする必要が出てくるということです。

２０３０年時点では、都心３区以外の区は２０１５年比１・１倍程度のところが多く、高齢者数の上昇ペースはまだ抑制的ですが、その後は２０４５年に向けて急増し始めます。２０４５年になると多摩地区では高齢化率が40％を超すところも出てきます。たとえば、多摩ニュータウンが広がる多摩市は40・7％です。日本全体の高齢化率が４割にもっとも近づくのは２０６５年なので、東京郊外では20年も早く２０６０年代半ばの社会課題を目にすることになるでしょう。

ちなみに、高齢者数がもっとも多い基礎自治体は横浜市（神奈川県）です。２０２１年9月30日現在の65歳以上人口は93万人におよんでいます。「高齢者だけの政令指定都市」を内包しているようなものですね。これでは行政サービスを届けるのも大変です。実際に、新型コロナウイルス感染症のワクチン接種が思うように進まなかった原因の一つは、高齢者が多すぎたことだと言われています。東京圏の高齢者の絶対数が激増することへの行政の対応は、２０３０年までにはとうてい間に合いません。今後はさまざまな分野で混乱が起きてくるでしょう。

これまでの街では対処できない

牧野　埼玉県に鳩山ニュータウン（比企郡鳩山町）というベッドタウンがあります。東武東上線で池袋駅から50～60分、最寄り駅の高坂駅（同県東松山市）からバスに15分ほど乗ります。１９７０年代から１９９０年代に分譲されましたが、敷地が広くて比較的高級だったこともあり、30～40代のアッパー層が入りました。しかし駅からバスという不便さを嫌気した子供世代が戻らず、人口が減っていきました。

実際、鳩山ニュータウンのある鳩山町の人口は「国勢調査」によると、10年間（２０１０年→２０２０年）で１万５３０５人から１万３５６０人に減っています。また２０２０年の高齢化率は45・9％で、全国平均を17・3％も上回っています。しかも、２０３０年には53・6％になると予想されています（社人研）。急速な高齢化です。

河合　高齢者の数が増えるだけでなく、平均寿命が延びているので、これからは「高齢者の高齢化」が進みます。社人研の推計では、今後増え続けるのは75歳以上なのです。東京都の80歳以上の人口は、２０２１年時点で１００万人を超えています。１４００万人のうちの１００万人ですから、14人に１人です。

牧野　住民の顔ぶれは80歳以上の高齢者ばかり、男女の平均寿命の差を考えれば、おばあさんばかりが目につくということになるかもしれません。そのような状況で、防災を考えなければならないのです。毎年のように襲(おそ)う豪雨や台風、近い将来に想定されている直下型地震にどう備えるか。災害弱者である高齢者をどう守るか。これらは喫緊(きっきん)の課題です。

　しかし現実を見れば、行政の力だけでできるとは思えません。住民たちの助け合いも必要でしょう。ただ、東京だけでなく地方も同様ですが、個人情報保護の観点から隣人との情報共有が難しくなっています。加えて、東京は地域コミュニティが形成されていないことが多く、助け合う・支え合う機能が弱い。そもそも、いざという時に高齢者を背負う若者のほうが少ない。このようななかで大災害に見舞われたらと思うと、ぞっとします。

河合　若年層中心の街づくりをしてきた東京圏は、高齢者にとってはきわめて暮らしづらい街です。ビル内や公衆トイレのバリアフリーはかなり達成されていますが、そこに辿(たど)り着くまでの道路は段差が多すぎます。駅まで到着すれば、スロープやエレベーターがありますが、そこまで行くのが大変なのです。バスの乗降に時間がかかる人が増えれば、バス停での停車時間が長くなり道路は渋滞します。今でも電車で「具合の悪いお客様の救護活動のため」と遅延の車内アナウンスが流れることがありますが、乗客の高齢化が進めば、そのような状況は増えることはあっても減ることはないでしょう。

これまで大都市に求められてきたことと言えば、人々を「なるべく速く、なるべく大量に」運ぶためのインフラ整備でした。しかし、これからは高齢者のゆっくりしたスピードにも合わせないといけません。人が動くスピードは現在のようにはいかなくなります。

牧野　80代の1人暮らしの認知症の人が5人に1人という時代では、通院や日常の買物など普通の生活そのものが成り立たなくなりそうです。

河合　東京都の65歳以上人口は2021年1月現在約314万人ですが、社人研の推計では2045年には418万人と100万人も増えます。隣接3県も2045年には2015年の1・3倍ほどの高齢者を抱えます。日本は、東京圏という3700万人もの人口集積地において、この4半世紀で高齢者の激増を体験するのです。

2030年は、激増期の入口あたりに位置する時代となります。高齢化した親を地方から呼び寄せる動きが強まれば、社人研の推計をはるかに超える高齢者の集積地となります。今から政治家や官僚たちが議論をして、その対応策を急いだとしても、10年くらいすぐに経ってしまいます。ましてや、集積の経済の成功体験にとらわれ、「東京モデル」を追い求めているようでは、とても間に合いません。

東京第３世代

牧野　ここで、「東京人」について定義したいと思います。戦後、地方から絶えず人を入れ込んできた東京も、住民は今や第３世代です。たとえば、祖父母（第１世代）が高度経済成長期に地方から東京に出てきて、両親（第２世代）は夏休み・冬休みは祖父母の故郷で過ごしたかもしれません。しかし親戚づきあいも徐々に薄れていき、子（第３世代）に至っては、地方とのかかわりがほぼなくなる。つまり、第３世代は東京の価値観だけで暮らしてきたわけです。「３世代続けば江戸っ子」という言葉がありますが、まさに「東京っ子」「生まれながらの東京人」の時代です。

この「生まれながらの東京人」は今後、どのような行動を取るのでしょうか。「高コストが馬鹿らしいし、街がつまらない」と脱出していくのか、「東京で生まれて東京で育ったから、この街を変えていこう」と新しいステージやカルチャーを築く原動力になるのか。

まず、彼ら・彼女らは「自分たちの故郷は東京だ」と感じていない、もしくは感じている人がいてもきわめて少ないでしょう。私は東京のマンションにも住居を持っていますが、住民で「ここが私の故郷です」と言う人は聞いたことがありません。

これまで、東京人の大半は何かしらのルーツを地方に持つ人であり、コスモポリタンのようなところもあったのですが、生まれながらの東京人には、東京にも地方にもこだわりがないようです。言わば、意識としての「アドレスフリー」です。これからの東京では、好きな時に好きな場所で好きなように働く。こういうノマド的な人たちが増えていくでしょう。

私の経営する「全国渡り鳥生活倶楽部」でも、生まれながらの東京人で「おもしろそうだから地方に半年住んでみる」人はたくさんいます。ルーツレスゆえに、新鮮な目で好きな場所を選べるのです。彼らは東京を捨てるわけではありません。東京に本拠を置きながら、気ままに生活の場を移していく。東京は利便性に優れていますから、現時点ではベースはここに置いていますが、利点がなくなれば離れていく。彼らに、東京を今より住みやすい街にしようとする気はないかもしれません。おいしいところだけ持っていく、英語で「チェリーピック（cherry-pick）」と言いますが、そんな価値観を持つ人が増えています。

彼らが東京に戻ってこなくなった時、東京はコストも高くておもしろさも利便性もない街になったということになります。その時には人口流入も止まっているかもしれませんが、高齢化率はさらに上昇しているでしょう。

新たな家族形態に合わせたサービス

牧野　徳川家康（とくがわいえやす）の江戸入府以来、東京が「老いる街」となったのははじめてのことです。近世に入ってから造られた江戸・東京は江戸時代を通じて、また明治維新を経て戦前から戦後の昭和・平成まで、ずっと「若い街」でした。これが転換するのです。日本史としても特筆すべきことでしょう。人口構成の変化によって東京の街の機能が追いつかなくなり、さまざまな問題が出てくるのが２０３０年頃からですが、街の規模が巨大であるだけに地方より恐ろしいことになります。

河合　日本社会は少子化を手の施（ほどこ）しようがなくなるまで放置しただけでなく、東京一極集中化を進めてきました。先にも述べたように、現在生まれてきている赤ちゃんの８・４人に１人は東京生まれです。３大都市圏となればこの割合はもっと大きくなります。この偏在は、これからの若者には「故郷」とか「地元」というものにこだわりのない人が増えてくることを予想させます。若い人の意識はむしろ、「世界の中の日本」に向くかもしれません。

牧野　人口が流入していても、再生産されない街・東京。この東京は、家族の形態変化の最先端地域でもあります。高齢化と単身者の増大によって、1人暮らしの人ばかりが目立ち（図6）、昔ながらの夫婦と子供2人という世帯はあまり聞かなくなりました。

マンガ『サザエさん』（長谷川町子作）は3世代が同居しています。主人公であるフグ田サザエの父親、磯野波平は54歳で現役の会社員であり、しかも孫（タラオ）までいる。これを東京のリアルに置き換えれば、80代の波平は妻フネと介護施設で暮らしている。実家はすでに処分したか、空き家になっている。あるいは、マンションで1人暮らしをしているフネが時折、病院にいる波平を見舞うというところでしょうか。

河合　もはや『サザエさん』は中高年のノルタルジーか時代劇でしょう。3世代同居はもちろん、夫婦と子供2人という4人家族を前提とした商品やサービスがメインでなくなってから久しいです。今や企業のターゲットはシングルや夫婦のみという世帯です。コンビニエンスストアが普及したおかげで単身世帯であっても日常生活に困らなくなりました。

図6 東京都の単身世帯の推移

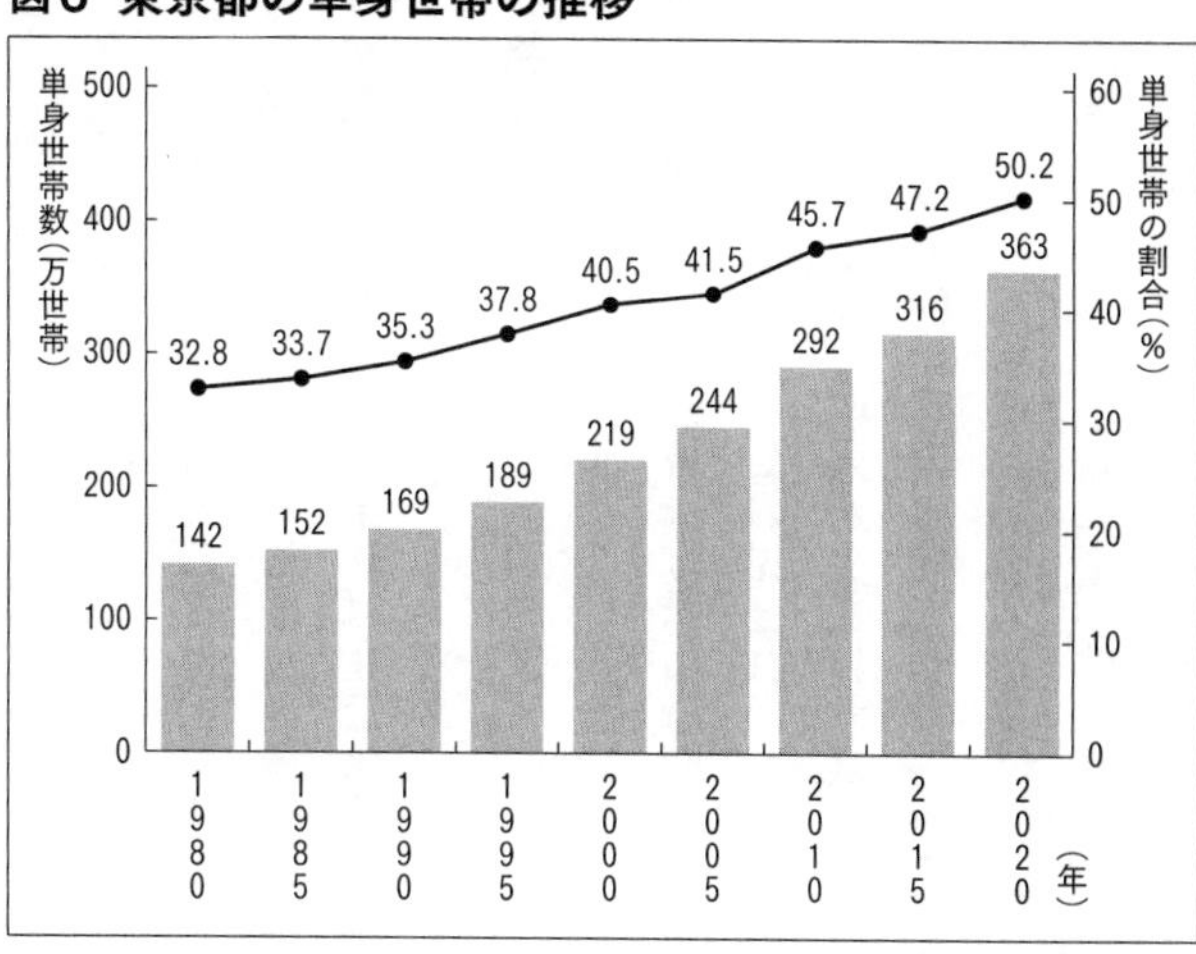

(総務省「国勢調査」より)

1人でレストランにも入りやすくなりましたし、結婚していなくても社会が一人前と認めてくれます。こうした単身者を前提としたサービスの普及が、未婚者や晩婚者をさらに増やす結果になっている面もあります。

牧野 東京は1人暮らしに合った街としてすでに完成されています。不動産でも、ファミリー層だけに照準を合わせることはしなくなりました。マンションなら4LDKはいらないから、部屋数を減らしてほしいという要望が来ます。

「世帯＝ファミリー」という概念はすでに崩壊しています。東京に出てきたばかりの若い人も、未婚の「お1人さま」も、配偶者と離別・死別した高齢者も、すべて世帯(単身世帯)です。ただ、その内実は二極化しており、貧しい若年層は家族を持つことができません。しかし家族がいないからといって、つまはじきにされることはありませんから、コンビニエントな街で1人暮らしはできる。詰まるところ、東京は十分な所得を得られない独り身の人たちの集合体になってしまうかもしれません。少子化は止めようがないように思えて、暗澹たる気持ちになります。

新格差社会

河合 高齢社会は経済にも思わぬ影響を与えています。高齢者の収入は現役時代より圧倒的に少ないですし、この先どれほど長く生きるかわからないので、無駄遣いをしないでおこうとなります。収入が少なければ働くことで解決できた現役時代と違って、倹約するしかない。必然的に我慢してでも安い物を求めることになります。いっぽう、少子高齢化でマーケットに占める高齢者の比率は大きくなってきていますので、企業としては高齢者の手が届きやすい価格帯に集中的に商品投入をせざるを得ない。全体の商品価格が押し下げられていくのです。こうした高齢化による要素はあまり語られてきませんでしたが、私は日本がデフレから脱却できないでいる大きな要因の一つと考えています。

企業は急増する高齢者に合わせた価格帯に商品・サービスを供給する↓コスト削減のため若い世代の賃金水準が下がる↓低価格帯商品は低収入となった若い世代にも歓迎される↓企業はさらに低価格帯の商品・サービスを強化する↓若年層の低収入がいつまでも続く、というマイナスのループです。これからますます「高齢者の高齢化」が進むわけですから、若い世代の所得の再分配も重要ですが、高齢者の老後資金の不安も同時に払拭しないと、日本がこのループから抜け出すのは難しいです。

牧野　このままだと日本全体のデフレは終息することなく、また経済の健全な回復はないということですね。

河合　そうですね。これから高齢者になっていく世代は、現在の年金受給世代に比べ、総じて老後の生活が苦しくなると見られています。日本の平均賃金が上昇していないからです。それはすなわち、年金受給額の水準も退職金額の水準も、現在の年金受給世代に比べて低くなるということです。もちろん、いつの時代も一部の勝ち組は別ですが。２０３０年以降に高齢者の仲間入りをしていく人たちは、年金を受給することになった際に「10年前に高齢者になった世代は、はるかに恵まれていたね」と言うことになるでしょう。

1990年	1995年	2000年	2005年	2010年	2015年	2020年
297	281	249	224	197	175	168
1,424	1,409	1,385	1,331	1,311	1,292	1,267
－	－	－	－	－	－	8
666	666	660	645	629	621	609
－	－	－	－	6	6	6
216	215	214	204	192	186	185

（文部科学省「学校基本調査」より）

世代間格差もさることながら、今や世代内格差も鮮明になっています。正規雇用と非正規雇用の差があまりにも大きく、その差は老後になっても埋まらず、延々と続きます。

公立小学校に送り迎え

河合　話題を高齢化の問題から少子化がもたらす影響に変えましょう。東京では、保育園・幼稚園などに入れない待機児童の問題が叫ばれていますが、少子化が先行して進んだ地方ではほとんど問題になっていません。10年前から待機児童ゼロという県はかなりあります。むしろ、子供がいなくて幼稚園や保育園が定員割れしているところすらあります。

この問題を複雑にしているのが、自治体による子育て世代の争奪戦です。流山（ながれやま）市（千葉県）、長久手（ながくて）市（愛知県）、明石（あかし）市（兵庫県）など大都市の近郊に多く見られますが、人口減少対策として

図7 東京都の公立学校数の推移

校種	1970年	1975年	1980年	1985年
幼稚園	194	269	301	308
小学校	1,144	1,264	1,377	1,421
義務教育学校（小中一貫校）	-	-	-	-
中学校	507	546	613	658
中等教育学校（中高一貫校）	-	-	-	-
高校（全日、定時、併置の合計）	157	174	204	213

手厚すぎる子育て支援策を講じて、子育て世代の定住を呼びかけます。すると短期間にピンポイントで子供が増えすぎてしまい、幼稚園や保育園の整備が追いつかなくなって待機児童が出てしまうのです。

やがて小学校や中学校の校舎が足りないということになるでしょう。しかし、日本全体では出生数が激減し続けていますから、こうした手法はいずれ頓挫（とんざ）します。現時点で保育園や小学校などが足りないからと校舎などを新設する自治体もありますが、遠からず不要となるでしょう。

子供の数が少なくなったと言えば、公立の小中学校の統廃合も進み、数を減らしています。これは人口減少が著（いちじる）しい地方だけの話ではありません（図7）。いずれ東京圏でも、私立小学校や都心部の有名小学校への越境通学ではなく、普通の子供たちが電車やバスに乗って遠くの学校に通うケースが当たり前になるかもしれませんね。

牧野　千葉県、埼玉県、神奈川県のニュータウンの中学校は統廃合でどんどん閉じています。多摩ニュータウンでは統廃合ではなく、小学校の閉鎖が起きています。私の実家がある港南台（神奈川県横浜市）の中学校も、統合によって廃止されました。丘陵地ですから、山の向こう側の学校まで行くのに徒歩では大変です。

実際、統廃合で学校が何kmも先になって、親が毎日交代でクルマによる送り迎えをするうちに子供が歩かなくなり、糖尿病になってしまったという嘘のような本当の話まであります。学校の統廃合までいかなくても、地方では共同運動会や合同修学旅行はすでに行なわれています。

逆に、タワーマンション（タワマン）が林立する武蔵小杉（神奈川県川崎市）では、小学校が足りなくなって1学年の生徒が1000人という異変が起きました。ただ、これは1カ所に人口、それもファミリー層が集中した例であって、人口減少・少子化の流れに逆行するものではありません。

河合　大都市の場合、ファミリー向けマンションが大規模に開発されると子供の偏在が一挙に進みますからね。知り合いの自治体の担当者も頭を抱えていました。

小中学校の統廃合は子供のいる家庭以外にも影響をおよぼします。というのも、小中学校の学区は地方自治を遂行していくうえで最小単位になっていることが多く、学区単位で行政を遂行していくことが困難になるからです。

たとえば、いまだにうまくいっているわけではありませんが、社会保障に関しては地域包括ケアシステムが中学校区単位となっています。自治体のなかには、各学区に区長やブロック長を置いて住民が話し合う組織を作って住民の意向を汲み取ったり、地域の見守りをしたりという取り組みを行なっているところもあります。こうした取り組みも機能しづらくなるでしょう。教育問題に関しては、第４章で改めて論じたいと思います。

女性が暮らしやすい街

河合　地方の若い女性が東京圏に移り住む理由は、地元に希望する仕事がないといった事情が大きいのですが、同時に地方の閉鎖性もあります。地方にはいまだに「女性はこうあるべきだ」「嫁はこうあるべきだ」といった、女性に対する性的役割を求める傾向が強いところが多いのです。内閣府の調査によれば、そうした煩わしさを嫌って東京圏の企業に就職したという女性が少なくありません。

牧野　東京は世界の各都市と比べても、女性が住みやすい街です（図8）。それは、今後も変わらないと思います。性差にまつわる差別意識が地方と比べて少ないですし、出勤とリモートを組み合わせる労働形態が今以上に常態化すれば、女性が自分の時間割で働ける環境はますます充実するでしょう。近所にコンビニもあるし、1人で外食もできる。女性が暮らすうえでのポジティブな要因はこれからも増えるはずです。

企業のほうも、SDGs（＝Sustainable Development Goals［持続可能な開発目標］）、ESG（＝Environment［環境］・Social［社会］・Governance［ガバナンス］）など、女性が皮膚感覚で問題点をとらえやすい課題に敏感になっています。さらに、今後いっそう強く打ち出されると予想されるコンプライアンス（法令遵守）などに適合するのは、女性のほうが適しています。

河合　そこは大いに期待できるところで、男性社会が作ってきたルールや規範に対して違う価値観を吹き込めば、社会が変わりますし、企業の成長にも良い影響を与えます。女性が活躍しやすい社会にしていくことは、人口減少が進む日本においては必須の条件だとも言えます。

東京の場合、何よりも魅力的なのは「選択肢」の多さでしょう。職業はもちろん、働き方、生き方など、地方に比べて制約が少ないです。ただ東京は、子育ての環境は劣悪です。通勤時間が長く育児と仕事の両立が図りづらいですし、とりわけ、頼れる親族が近くにいない地方出身者は孤立しやすいという課題があります。

牧野　そうですね。ただでさえ住居費など生活コストが高いうえに、子育てのコストが加わります。地方のように、親と同居して元気な親のヘルプを期待することはできませんし、前述のように教育費も伸しかかります。デフレが続けばいいかもしれませんが、インフレにならない保証はありません。給与が思うように上昇しなければ、必然的に貧困化していきます。このことが治安とか防災の面で悪い方向に作用するのは、容易に想像できることです。

図8　女性が暮らしやすい都市

順位	都市(国)
1	ロンドン(イギリス)
2	東京(日本)
3	パリ(フランス)
4	モスクワ(ロシア)
5	上海(中国)
6	マニラ(フィリピン)
7	ニューヨーク(アメリカ)
8	ブエノスアイレス(アルゼンチン)
9	サンパウロ(ブラジル)
10	イスタンブール(トルコ)
11	ジャカルタ(インドネシア)
12	ラゴス(ナイジェリア)
13	ダッカ(バングラデシュ)
14	メキシコシティ(メキシコ)
15	リマ(ペルー)
16	デリー(インド)
17	キンシャサ(コンゴ民主共和国)
18	カラチ(パキスタン)
19	カイロ(エジプト)

※人口1000万人を超える世界の19都市を①女性の経済的な進出、②性的嫌がらせ、③医療機関の利便性、④文化・宗教的慣行から調査

(トムソン・ロイター財団の2017年調査より)

第3章

街、住まいはこうなる

鉄道会社のビジネスモデルの破綻

牧野　日本は鉄道社会であり、電車に乗って働きに行く・遊びに行くスタイルが世界でもっとも多い国です。とりわけ東京がそうで、明治以来、ロンドンの地下鉄を教材にして山手線の内側に地下鉄網をめぐらせ、渋谷、新宿、池袋など山手線のターミナル駅に郊外から東京にやってくる私鉄を受け入れ、都心につなげていきました。このような完成された交通網によって、巨大都市・東京の発展が可能となったのです。

　戦後、地方から大量の人口流入が起きると、住宅地はニュータウンをはじめ、ターミナル駅から延びた鉄道の延長線上に郊外へと広がっていきました。しかし、１９９５年頃を境に潮目が変わります。都心回帰です。

　当時、湾岸エリアなどにあった工場や倉庫が、円高や人件費の高騰、産業構造の変化を受けてアジアや諸外国に移転すると共に、大都市法の改正によって工業地域、準工業地域の容積率が大幅に引き上げられました。これによって登場したのが、湾岸エリアのタワマンです。それらは、夫婦共働きが中心となった新しいライフスタイルに好都合ですから、都心に引っ越して来る人が激増したのです。ちなみに、共働き夫婦世帯数が専業主婦世帯数を凌駕したのが1995年前後です（総務省「労働力調査」）。
しかし2020年、コロナ禍によるリモートワークの普及によって、この流れが変わります。通勤しなくてもいい、あるいは週に2、3日の通勤でいいとなると会社の近くに住む必要はなく、オフィスへの交通利便性を絶対条件とする住まい選びに変更の余地が出てきたのです。今後は不動産マーケットを含め、大きな変化が予想されます。

河合　東京の鉄道会社は通勤・通学定期券が収入のベースになっていますが、すでに少子化と団塊世代の引退で定期券収入は先細りの状況です。現在は移行期なので、テレワークを導入しても社員に定期券を支給し続ける企業が少なくないのですが、今後、在宅勤務者が主流になったら、経営的には相当な痛手となるでしょう。

牧野　私鉄の沿線開発モデルは、かなり以前から厳しい状態に陥っていました。実例を挙げましょう。東京圏で最後に大手私鉄となったのが、神奈川県の相模鉄道（相鉄）です。相鉄では1960年代より、湘南台駅（神奈川県藤沢市）から慶應義塾大学湘南藤沢キャンパス周辺を経て、平塚（同県）までの延伸計画がありましたが、頓挫したままです。
その理由は、湘南台から先の宅地開発のニーズが消滅したからです。今でもJR東海道新幹線の新駅が想定されるJR相模線の倉見駅（同県高座郡寒川町）までの延伸計画が審議されていますが、沿線の居住ニーズが萎み、進んでいません。むしろ、都心居住の流れのなか、郊外へ線路を延ばすのではなく、都心への利便性を向上させようという動きに舵を切りました。2019年にはJRとの直通運転を開始し、2022年には東急線との直通運転が予定されています。ただこれも、前述のようにリモートワークの常態化により、通勤圧力が減ればメリットでなくなるかもしれません。

沿線に有名な観光ポイントや売り物になる景観や歴史があれば別ですが、相鉄はもともと「砂利鉄」と呼ばれたように、相模川などの砂利を集めて運搬していた鉄道ですから、観光地と呼ばれるような場所が少ない。相鉄に限らず、これからは観光、リクリエーション、買物などで沿線を人が回遊してくれないと鉄道会社の経営は厳しくなるでしょう。「働く場所の東京」対「休日の住まい」といった1対1対応の沿線開発モデルの行き詰まりは早いと思われます。

国道16号線の内か、外か

牧野　鉄道会社が闇雲に行なってきた沿線開発は限界を迎えています。それは、地価を見ればよくわかります。地価は１９９５年あたりを境に、都心から40〜50km圏は下がり、反比例するように都心部が上がりました。

たとえば、ＪＲ船橋駅（千葉県）から東武アーバンパークライン線が柏（同）に向けて、ＪＲ津田沼駅（同県習志野市）近くの新津田沼駅から新京成電鉄が松戸（同県）に向けて延びています。これら沿線のマンション価格は１９８０年代後半から１９９０年代前半にかけては３５００万〜４０００万円でしたが、現在、中古価格で提示される額は高級車１台分、すなわち数百万円です。新築当時の10分の１近くに下落しているのです。都心から30〜40km圏内のニュータウンも値下がりが激しく、目も当てられない状態です。

河合　ターニングポイントと言うべき１９９５年とは生産年齢人口が減り始めた年であり、団塊ジュニア世代が社会人になった頃にあたります。東京圏に住む団塊ジュニア世代というのは郊外で育った人が多いのですが、団塊世代やポスト団塊世代のように長時間通勤を「やむを得ない」と考える人は少なく、多くが親元を離れました。さらに共働きが当たり前となり、結婚後は夫婦双方が通勤しやすい都心に住み続けました。そもそも、親と同居する人というのは、団塊ジュニア世代に限らず少ないですよね。親が亡くなったとしても、勤務先から遠く離れた実家に「財産」として魅力を感じるわけでもありません。

結果として、ニュータウンに代表される郊外は高齢化を続け、街の再生が難しくなりました。今では、都心から25～30㎞離れたエリアまで勢いがなくなってきました。東京は放射線状に街を形成してきましたが、都心部の熱はもはや外縁部に届かなくなってきたという印象です。

牧野 私は、外縁部として「郊外開発の境界線」と言われる国道16号線を想定しています（図9）。最近サクラタウンができて注目されている所沢（埼玉県）、「本当に住みやすい街大賞2022」（94～95ページの図10）で3年連続1位を逃したものの2位となった川口（同）、京王帝都電鉄が中心になって再開発を盛り上げた調布（東京都）、JR中央線の乗降客数で中野（同）や吉祥寺（同武蔵野市）を上回る立川など、すべて16号線の内側です。これらは比較的都心にアクセスしやすく、土地もまだ余っています。

しかし16号線の外側になると、不動産開発の勢いはまったくなくなります。千葉県ならJR蘇我駅から先、東京都ではJR八王子駅の先、神奈川県では京浜急行線の金沢八景駅（神奈川県横浜市）の先、埼玉県ならJR大宮駅の先ということになります。そこまで延ばしてみたものの、成長が止まってしまった。16号線が成長点の〝先っぽ〟だったのです。

ただ、外側でも2020年以降、周囲のなかでそこだけポッと火が点いたように住民が

図9　国道16号線と主な鉄道路線

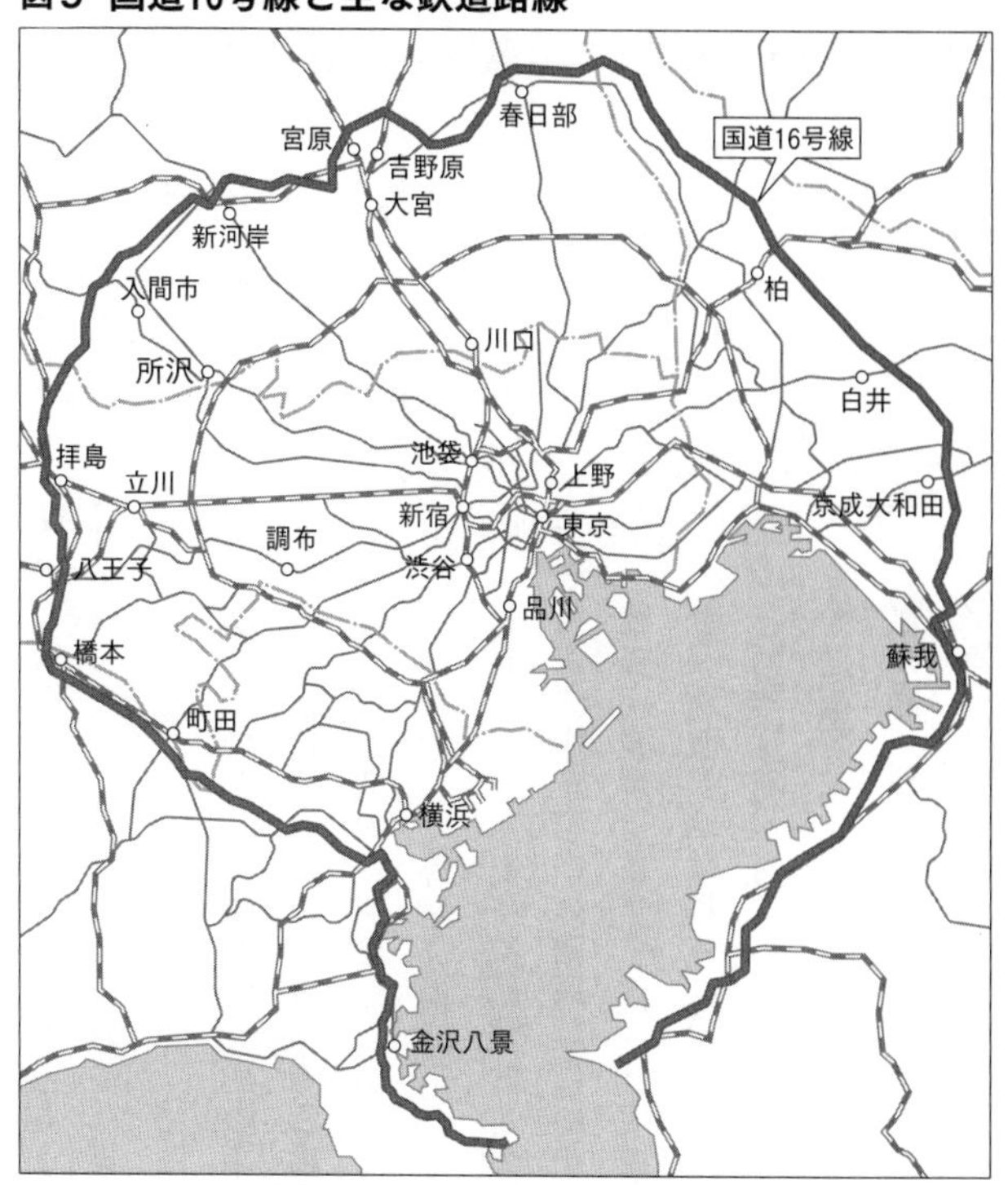

増えている街があります。具体的にはＪＲ宇都宮駅（栃木県）、小山駅（同）などで、これらはＪＲ東北新幹線が停まります。新幹線通勤の定期代が満額で出る、あるいは補助されるなら、通勤しやすくなります。それを見越してか、一戸建ての建売住宅が増えています。

　また、小田急線の海老名駅（神奈川県）の

周辺はマンションが急増し、今や「マンション村」の様相を呈しています。小田急電鉄やデベロッパーが多額の開発資金を投じているため、街や施設は拡大・充実し、居住者が増えています。

河合　海老名駅の開発は、人口が増えていた昭和時代の発想のままですね。ニュータウンの表紙替えをしたようなものでしょう。利用客の減少に備えて、他の鉄道会社の沿線住民を奪い取ろうということなのでしょうが、全体のパイが縮んでいくわけですし、テレワークや高齢化など人々の行動様式に変化が出てきますから皮算用通りにいくとは限りませんよ。

牧野　成長ラインで言うと、東京はまず西に向かって伸び、それが南に移り、次は東、最後に北が成長していくという法則があり、このラインで地価が形成されています。実際、ＪＲ中央線、小田急線、京王線、東横線の地価が高くなり、次にＪＲ東海道線、ＪＲ京浜東北線が高くなりました。

交通の利便性	コストパフォーマンス	教育・文化環境
3.95	4.30	3.85
4.20	3.70	3.70
3.35	4.45	3.68
4.15	3.60	4.08
3.70	3.95	3.95
3.83	3.63	3.65
3.45	4.20	3.98
4.30	3.00	3.60
3.83	3.70	3.35
3.30	3.75	3.35

（ARUHI「本当に住みやすい街大賞2022」より）

図10 本当に住みやすい街(関東)

順位	駅(地域)	総合評価	発展性	住環境
1	辻堂(神奈川県藤沢市)	4.24	4.20	4.90
2	川口(埼玉県川口市)	4.05	4.50	4.15
3	多摩境(東京都町田市)	4.00	4.10	4.43
4	大泉学園(東京都練馬区)	3.99	3.75	4.35
5	海浜幕張(千葉県千葉市)	3.97	4.08	4.15
6	たまプラーザ(神奈川県横浜市)	3.88	4.05	4.23
7	花小金井(東京都小平市)	3.83	3.45	4.05
8	月島(東京都中央区)	3.81	4.35	3.80
9	船堀(東京都江戸川区)	3.69	3.75	3.80
10	新秋津(東京都東村山市)	3.49	3.30	3.75

そして、円を描くように広がったところで、縮み始めた。伸びきった東京は今後、2030年にかけて縮んでいくのです。

タワーマンションとニュータウンの共通性

牧野　ここで、今人気のタワマンについて考えてみましょう。その例として最適なのが、多くのタワマンが聳(そび)え立ち、「タワマン銀座(ぎんざ)」とも呼ばれる武蔵小杉です。近隣にある溝の口(みぞのくち)(神奈川県川崎市)は商店街もあるなど昔からの街ですが、武蔵小杉はかつて工場街であり、東京機械や不二サッシの工場跡地に高層マンションを建てた新しい街です。

乱暴な言い方をすれば、住民を横に並べたのがニュータウンで、縦に並べたのがタワマンです。多摩ニュータウン、鳩山ニュータウンなど旧来のニュータウンは丘陵地上に横に広がったのに対し、タワマンは縦に長く伸ばしたものです。実際、1棟に数百人～1000人を超える住民が居住しており、人口だけを見たら、立派な街です。

武蔵小杉の「売り」は交通の便と通勤時間の短さです。JR横須賀線、JR湘南新宿ライン、JR南武線、東急東横線、東急目黒線が走り、都心にアクセスしやすいのです。逆に言えば、都心に通う必然性が薄れたとたんに、優位性は揺らぎます。歴史や景観などで特筆すべきものはなく、けっして住みやすいとは言えません。武蔵小杉駅構内に入るのに時に規制がかかるほど混雑したり、前述のように小学校の1学年が1000人を超えたりするなど、タワマンの集中ならではの問題が起こっています。今後、通勤の必要性が薄まれば、武蔵小杉の魅力は減退するでしょう。

河合　住んでいる人の数を考えると、タワマンというのはまさに住宅の集合体であるニュータウンを天空に向けて建設したようなものですね。一つの街と言ってもいいほどの住民数なのに、上層階、中層階、低層階では住民の意識は異なっており、コミュニティが形成されにくいのが欠点です。

そこで育った子供たちには「地元」意識はなかなか芽生え(めば)えないでしょうね。タワマンの購入者が高齢化する頃には、子供たちは独立して離れてしまい、「オールドタウン」となった現在のニュータウンのような未来を辿るのではないかと思います。しかも、管理は建物ごとに行なわれるので、ニュータウンとは違い、行政がそこで起きている課題を把握することは難しいです。

牧野 タワマンは建物ですから、必然として老朽化と向き合わなければなりません。マンションは築15~20年になると大規模修繕が発生します。この修繕費が曲者(くせもの)です。タワマンの場合、1990年代に建てられた初期のもので最近ようやく事例が出てきた段階ですが、十数階建てマンションに比べて3~4倍の修繕費がかかります。

デベロッパーは通常、顧客に対して修繕積立金を月数千円から1万5000円程度と、安めに計上して提案します。割高感を抱かせないためで、これは不動産業界の常識です。この積立金は、築15年の最初の大規模修繕でほぼ使い切ってしまいます。すると修繕積立金が2万円くらいに上がるわけですが、タワマンの場合には管理費と合わせて5万円以上になることもあります。

この金額を払えない住民が増えれば、大規模修繕ができませんから、不動産価値が減じます。また長く住み続けることで収入が現役時代を下回り、マンションを手放さざるを得ない住民も出てくるかもしれません。それによって空き家が増えれば、不動産価値はさらに低くなります。つまり、多額のランニングコストがかかり続けるのがタワマンであり、住民個々の所得に占める固定費の増大に耐えられるかが問われるのです。

河合　少子化によって、現在の日本では一つの建物、一つの街で世代交代していくことを前提とした開発モデルは成り立ち得なくなっています。子世代が親と同居せず、新規の入居者も入らなくなって住み替えが進まなければ、タワマンが林立する街ごと捨てられることになるかもしれません。

牧野　ご指摘の通り、問われているのは次世代に引き継がれる街になれるかどうかです。「プライド・オブ・プレイス（住んでいる場所が自分にとっての誇り）」という言葉がありますが、それが持てるように街が成熟していけるか。しかし私は、悲観的にならざるを得ません。武蔵小杉のタワマンの開発担当者の1人とお会いしたことがあるのですが、とにかく「売る」ことが先決で、この街での世代交代の可能性など考えていなかったからです。彼に言わせれば、「それは行政が考えること」ということになりますが……。

再開発が止まらない理由

牧野　昭和・平成型の市街地再開発は現在、東京だけでなく、全国の主要都市で進行中です。しかも、建物のデザインからコンセプトまで、まったく全国画一(かくいつ)と言えるようなものです。なぜなら再開発の目的が建物の高層化にあるからです。

地権者には「1銭もお金がかからずにビル内に権利を持つことができます」と口説(くど)くのですが、みんな結構乗ってきます。その仕組みは——鑑定士が八百屋や魚屋など地権者が持つ土地を評価して、床面積に変換する。地権者は評価された分の床をタダで取得できます。そしてアップした容積率によって生じた新たな床、これを「保留床(ほりゅうしょう)」と呼びますが、それをデベロッパーが買う——という単純なものです。

つまり、自分の土地の権利分をビルの床に直しているだけで、残った床をデベロッパーに買ってもらうことで、実質タダで建て替えができてしまう仕組みです。デベロッパーは1軒1軒地上げしなくても、組合を作って再開発することで高層ビルの床を手に入れることができてしまう、おいしい事業です。いっぽう地権者は、自分の古い店と新しく建てられる最新の高層ビルで得られる床を見比べて、後者に傾(かたむ)くわけです。

河合　テナントとして入っている店舗や会社も、居住者も順調に代替わりして、時代の変化に合わせて新たなニーズに適応していくならば問題はないでしょうが、働き手も消費者も急減するなかで、それは簡単なことではありません。

牧野　「再開発」という名前は美しく、総論賛成でなかなか反対しづらいです。ただ、地上げをしないですみ、なおかつ自治体などから開発にかかわる補助金などが出るので、デベロッパーは喜びますが、地権者にとっては総論とは別に、いったい何のためにやっているのかがよくわからないような計画も目につきます。

タワマンができると、その街の住民が喜ぶかというとそんなことはありません。分譲価格が高すぎて地元民には手が出ないからです。いっぽう、購入者は都心への通勤利便性の高さを重視して購入している〝他所者（よそもの）〟ばかりなので、街に興味がない。儲かるのはゼネコンとデベロッパーだけです。自らの土地を建物内の床に換えた地権者も、新しい建物の中で従来の商売を続けても新しい住民層に支持されるかはわかりません。

河合　現在はサステナビリティ（持続可能性）が問題となっているニュータウンですが、高度経済成長期に急増した都市人口の受け皿として建設されました。それを推進した日本住宅公団（現都市再生機構）は、国民に快適で文化的な生活を住宅という形で提供するこ

図11 空き家数・空き家率の推移

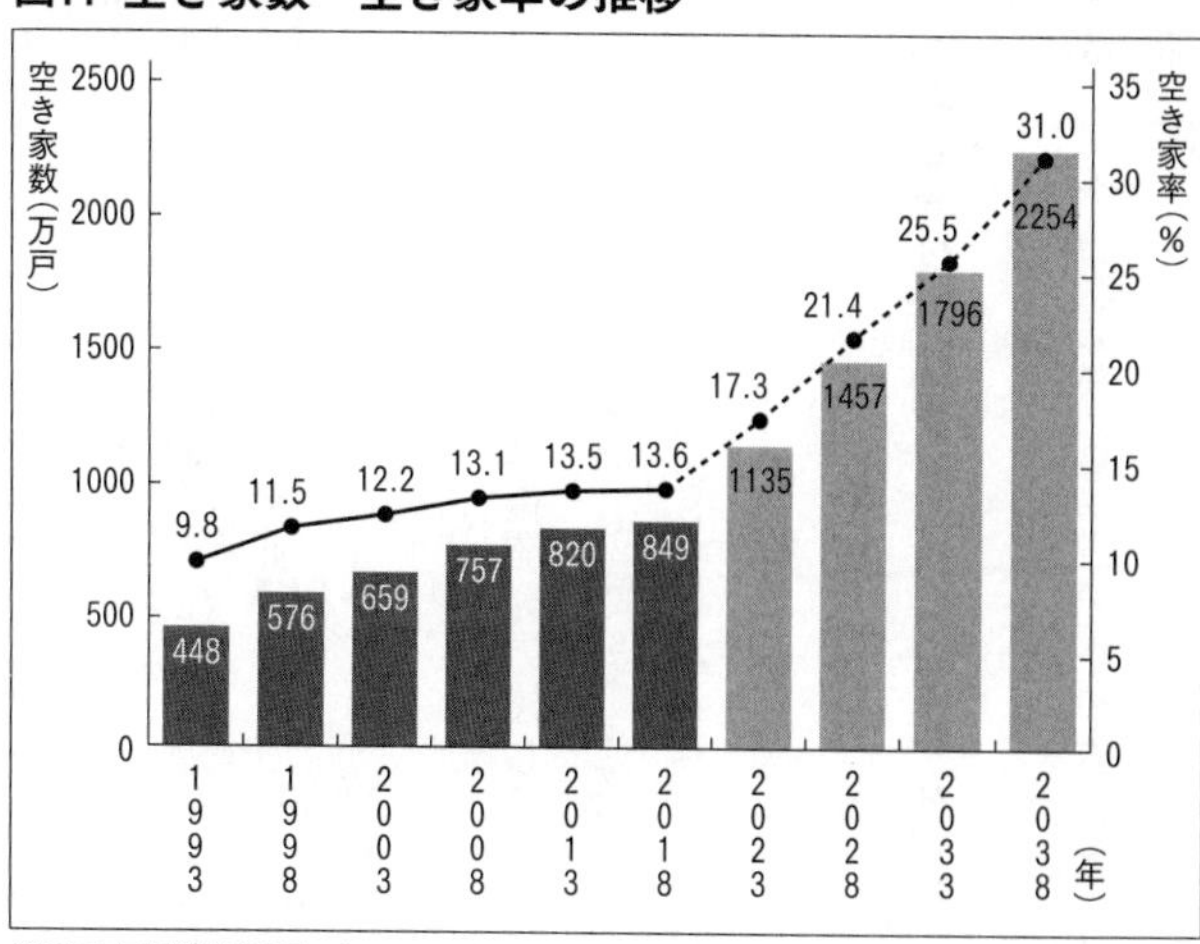

※2023年以降は最悪のケースによるシミュレーション

（野村総合研究所「2040年の住宅市場と課題」を改変）

とを目的に作られた組織でした。地方から出てきた人はマイホームを手にすることで豊かさを実感できましたし、開発業者は住宅関連企業だけでなく、家電や家具といった周辺業種も含めて売り上げを伸ばし、日本経済全体の成長に資することになりました。

翻（ひるがえ）って、現在の住宅開発は、人口減少時代を迎えるにあたってどのような将来像を描いているのでしょうか。そもそも、住宅を引き継ぐ次世代が少なくなるという課題を認識しているかすら、疑わしい。空き家が増えるというのに（図11）、どんどん住宅が提供され続けています。人口減少下における都市開発とはどうあるべきなのかという視点を持って住宅開発を進めていかないと、大変なことになります。それは官民が連携して考える必要があります。

牧野　不動産業の役割は、社会インフラを提供することです。しかし、今行なわれている再開発は、成長・拡大を前提としたモデルであり、サステナビリティをテーマにする令和の時代に合っていない。なかでも、東京はまだまだ成長すると考えている人が多いので厄介です。

なぜなら、都心部は再開発に投じる資金が膨大で、他所の火が消えても、赤々と燃えているような状態にあります。薪さえくべればまだ成長できる、利益の増大化も見込めると、次々と薪（資金）を投げ込んでいるわけです。このようなことがいつまでも続くわけがありません。

不動産業界はマーケティングをしない!?

河合　住宅開発と同じく、縮小する日本において将来像がよく見えないのが、60～100店舗を抱えるショッピングセンターやショッピングモールといった郊外型の大型商業施設です。大規模な雇用創出につながることもあり、政治家が熱心に誘致するケースが多いですが、かつての工場誘致の代わりといったところでしょうか。しかしながら、最近は今後の人口動態の変化を十分に織り込んでいるとは思えない出店も目立つようになってきました。

象徴的だったのが、富山県高岡(たかおか)市の「イオンモール高岡」です。2019年に増床リニューアルするにあたり、テナント入居している飲食店が計画通りにアルバイトを集められなかったのです。最終的に、東京の銀座の水準を超える時給で募集をかけたそうです。これは、単にアルバイト不足の話ではありません。アルバイトを集められないほどに人口が少ないということであり、遠からず期待する来客数に達しなくなる可能性を示したわけです。

入れ替わるべき住民のマーケットを無視してタワマンを建て続けるように、大型商業施設も建てること自体が目的化しており、縮小が続く日本をどうしていくのかといったサステナビリティの視点が見えてきません。大型商業施設ができると、地元で細々とやってきた小さな商店の多くが姿を消します。そうした商店街がシャッター通りになった頃に、大型商業施設が不採算になったと言って撤退してしまったら、その地域には何も残らなくなってしまいます。住民が高齢化して買物難民（次章で詳述）となり、不便になったことによって地元を離れる人が増える悪循環に陥っていきます。今後は、東京圏の郊外に立地し、巨大な駐車場を誇るショッピングセンターだって例外であり続けられるとは限りません。

牧野　にわかには信じてもらえないかもしれませんが、不動産業界はマーケティングをほとんどしていません。たとえばマンションを建てる場合、この地域の土地相場は○万円、マンション建築費は坪○万円で建設できる。これに経費を3割程度乗っける。合計額を戸数分で割ると1戸○千万円。これなら駅から徒歩5分だし、売れる。広尾（港区）だったらさらに高く売れる。青山（同）なら……といった具合。地面の価格プラス経験と勘だけで事業を進めてしまうのです。

これは客が永遠に存在する時代の発想であり、モデルです。なぜ日本の不動産業界がこうなったかというと、成長がずっと続いてきたからです。東京圏に集まる人の受け皿を作るために郊外を開発し、一戸建てでもマンションでも造れば、誰かが買う。この繰り返しのなかで、その街がどう成長し、どのように家族が代替わりするかということは考えてきませんでした。このモデルが続かないことにようやく気づくのが、2030年頃でしょう。そこまでは止まらない。止まるのは、売れないことが嫌というほどはっきりとわかってからでしょう。

河合　これは不動産だけの話ではないですね。精緻なマーケティングをせず、「経験」を頼りに販売計画を立てている企業は少なくありません。マーケティングをする必要がなかったと言ってもいいかもしれません。戦後の日本は国民が若く、人口が増え続けてきたからです。今ほど経営環境は複雑ではありませんでした。しかしながら、今後はどの業種もマーケットが縮小し、新陳代謝も鈍化します。黙っていても市場が拡大していた時代ならば勢いで押す経営者でも務まったでしょうが、これからはマーケットとの直接対話が欠かせません。

街を捨てる人たち

牧野　日本の住宅市場は昔から新築の割合が高く、おおむね新築７割中古３割で推移してきました。その理由について、日本人はきれい好きだから、新築だけに価値を置いていたからなどと説明されてきましたが、それは違います。圧倒的に供給量が足りなかったからです。新しい家を作らないと、家そのものが不足していました。

しかし、2010年代後半になると、東京圏では中古マンションの成約件数が新築マンションの供給件数を上回るようになりました。都心、郊外を問わず、社会的なストックとしての住宅は行き渡ったのです。今後は、このストックのなかで選択をすることになります。もちろん家を購入せずに賃貸を選ぶこともできます。

ですから今後は、持ち家か・賃貸か、新築か・中古か、一戸建てか・マンションかなど幅広い選択肢から選ぶことができます。さらにデベロッパーが昭和・平成型の開発をして「さあ買え」とばかりに供給されたマンションや建売住宅を買うのか、自分が気に入った街の中古住宅を自分で選ぶのか、土地を買って自分の好みの住宅を建てるのかを自分の意思で決められるようになります。それが定着するのが2030年頃でしょう。

これまでの街づくりは都心にアクセスすることが前提であり、開発の判断基準は、通勤や通学に対する利便性にありました。往復の通勤時間が少ないほどいいわけで、家はただ寝に帰る場所、すなわち「ベッドタウン」でした。

そこで暮らし、リタイアした高齢者の多くは現在、自宅に逼塞(ひっそく)しています。街にはコミュニティがなく、知人もいない。くつろげる場所も、生活の幅を広げるような刺激もない。耐用年数が来た家の中で、息を殺すようにして生活しているのです。このままではベッドに寝たきりの老人ばかりの街、本物の「ベッドタウン」になってしまいます。

では、そのような街に新しい人を呼び込めるか、若年層が住むかというと難しいでしょう。高齢者ばかりの街に、若い人たちは絶対に入ってきません。特に、ニュータウンの大半は無理でしょう。家というものは本来、親が死んだあとに子が継いでいくものです。その機能がニュータウンにはありませんから。

親のいる街で世代循環がなされることは簡単ではありません。私自身を例として挙げましょう。90歳を超えた母親は幸いにも元気で、神奈川県の郊外住宅地に1人で暮らしています。いっぽう、私をはじめ兄や姉は自分の家を持って生活している。それを畳んで親の家に行くことはできません。私たちの生活基盤はすでに固まっていますし、孫たちも東京のマンションなどで暮らしている状態ですから。母親がいなくなったあとは、売却するか、賃貸にするかしかありませんが、すでにその需要すら期待できない街になっています。空き家問題が確実に到来するわけです。

では、世代循環がなされない街をどうするか。街全体を朽ち果てるに任せるという消極的な解決策がここで浮上します。たとえば、ＪＲ立川駅前にタワマンが建った時、入居者の多くは立川郊外の一戸建て住宅を処分した人たちでした。駅から遠く、買物にも不便。そんな郊外を捨てて、同じ地域の便利なマンションに移ったわけです。今後、多くの住民が去った街がどんどん出てくるでしょう。

河合　２０３０年代に入ると、東京23区を取り巻くように高齢化率40％程度の自治体がずらりと並ぶようになります。東京の郊外に住む高齢者たちにすれば、会社員人生をかけて住宅ローンを払い、やっと手に入れたマイホームですから、愛着があって住み替えようとしません。このままでは東京圏の外縁部にゴーストタウンが広がることとなります。それはやがて東京圏にとどまらず、日本経済に暗い影を落とすことになるでしょう。

縮む街に合わせて何をすべきか

牧野　これから生き残る街は、都心への利便性が高く通勤に便利、あるいは自然が残っていて癒されるなどではなく、街にどのような機能が実装されているかが問われます。

具体的には、医療の充実度では他所には負けない、金融機能が優れていて現金を持たずに生活できる、シェアリングエコノミーが発達している、など特定のサービスを街に引き込んでいくことです。私はこれを「社会的レイヤー」と呼んでいますが、これに魅かれて人が集まってきます。もちろん、Ｗｉ－Ｆｉに代表される高度情報通信機能の整備は大前提です。

限られた人口を効率よく集中させるには、「このインフラはここにしかありません」「ここにしか街を作ってはいけません」と国や自治体が政策転換をするべきで、市街化区域と市街化調整区域に住宅地を二分するだけの曖昧な現行の都市計画は考え直すべきです。絞った地域で社会的レイヤーを整備すれば、都心部と同じ機能を持つ街が郊外にも、地方にも誕生します。社会的レイヤーが整っていれば、山が好きな人、海が好きな人、それぞれが自分の好みで住む場所を選ぶことができます。もちろんテレワークができて、街で過ごす時間も長くなるでしょうから、コミュニティの形成も期待ができます。

河合　私はいくつかの鉄道会社に社内勉強会の講師として招かれたことがあるのですが、その際、経営者のみなさんに路線を一つの街に見立てた開発を提案してきました。

たとえば、ある駅には医療施設を集中させる、ある駅には文化施設やエンタメ関連ショップを集中させるといった具合です。それぞれ特化した駅を取り揃えて一つの路線で生活機能のすべてをまかなえるようにすれば、多くの人が必然的に鉄道を利用するようになります。もう各自治体が「フルセット主義」で同じような公共施設を整備する時代でもありませんしね。特徴だった駅ができれば、その地元自治体にとっても新たな町おこしの起爆剤となるでしょう。

沿線住民にすれば、利便性が高まり、その鉄道路線の界隈（かいわい）に暮らす意義が強くなります。このアイデアは通勤・通学定期券客が減っていく鉄道会社にとって新たな収益モデルの一つとなり得ます。

牧野　おもしろい提案ですね。これまでの街づくりは一つの街にすべての機能を詰め込もうとするものでした。学校があって銀行があってスーパーがあってスポーツジムがあって……というように。しかし人口減少が急速に進み、街が縮むなか、同じ規模でインフラを保つことは不可能です。

首都圏近郊の鉄道会社の事例を紹介しましょう。沿線にはニュータウンが多くありますが、そのうちのいくつかの街では高齢化が進み、空き家が増えてオールドタウンとなっています。鉄道会社の担当者が、空き家について住民にヒアリングする機会を設けて、会場に入った瞬間、高齢の住民たちに「来るのが遅すぎる！　もうガタガタ、スカスカの街になってしまって、今さらどうしようもない」と叱られたそうです。もはや、住民が集まるカフェを作りましょう、コワーキングスペースを作りましょう、といった小手先の処方ではどうしようもないところまで来ていたのです。それ以外の有効な施策もほとんどない。残念ながら、鉄道会社にはオールド化を止めるノウハウは乏しい。

河合　本気で考えるべきは「街のニーズ」、すなわち住民は何を必要としているか、です。これまでの主たるニーズは通勤・通学であり、都心へのアクセスの良さが、鉄道会社にとって沿線住民を増やすための優位性でした。しかし、今後はそれだけでは生き残っていけません。むしろ、医療や介護サービスへのアクセスの良さといったことが評価されるようになるでしょう。近年は、1人暮らしが増えて救急車を呼ばざるを得ない高齢者が増えています。高齢者にとっては医療機関が近くにあることも重要なのですが、そこにどう辿り着くかということのほうがさらに大事なポイントなのです。

高齢者が移動しやすい街ということを考えるならば、急坂な丘陵地より平地のほうがいいし、各施設がバリアフリー対応になっているだけではだめで、街中をバリアフリー対応にしなければなりません。このように、街の構造が高齢化のスピードにまったく追いついていないのです。沿線自治体に若年層を呼び込むことを考えるのも必要ですが、マーケットの年齢構成を考えれば、高齢者の比重が年々大きくなるのですから、それに合わせて街の機能を変えていくことが急がれます。

牧野　これまでデベロッパーは、家を買ってくれた住民を最寄り駅まで勝手に歩かせて、電車に押し込んだらそれで終わり、せいぜい駅周辺に商業施設を置くくらいのことしか考えてきませんでした。しかし今後は、たとえば駅の上に高層ビルを建てるなら、そこにクリニックを複数誘致しましょう、デイサービス（通所介護）を受けられる施設を設置しましょうというくらいの発想の転換が求められます。モビリティのあり方もクルマ一辺倒ではなく、電動自転車や車椅子にも優しい街の設計にするなど、根本から変わってきますね。

災害への脆弱性

牧野　防災についても議論しましょう。たとえば湾岸エリアは埋め立て地ですから、直下型地震の際の液状化と津波が懸念されます。津波は高潮（たかしお）を発生させ、荒川（あらかわ）や中川（なかがわ）などを襲って周辺を水没させるだけでなく、東京メトロのシミュレーションにあるように銀座や大手町（おおてまち）（千代田区）あたりまで地下鉄路を通じて水が入り、日本の中枢機能が水没する可能性もあります。

また荒川区・葛飾区・江東区・品川区などの木密(もくみつ)地域（木造住宅密集地域）は、大規模火災も心配です。ところが、これらのエリアで万全の対策が取られているわけではなく、これまで造ってきた建物のなかには防災を前提にしていないものもあり、大変危惧しています。

河合　自然災害の被害が大きかったエリアというのは、人々に被災の記憶が新しいうちは避けられ、地価は安くなります。すると、住宅業者は土地を安く確保できるとして割安物件を建設します。これは住宅資金が少ない人たちには魅力的です。ハザードマップなどで災害の危険性を知っていたとしても、手が届く物件は限られるということで見て見ぬふりをする人もいます。

住民の入れ替わりが激しい大都市は特にその傾向が強いのですが、自然災害はあっという間に忘れ去られます。全国各地でこうした歴史が繰り返されてきたのです。国民の約7割が自然災害の危険エリアに住んでいるという試算もありますが、とりわけ東京は心配ですね。これ以上にないほどに過密な都市となっていますし、直下型地震も予想されていますから。首都をこんなリスクの大きな場所に建設したままでいるというのは安全保障上も問題だと思いますが。

ところで、牧野さんにお聞きしたいのですが、東京に限らず、日本中でガラス張りのビルが増えましたが、地震の際、ガラスが割れて落ちてくることはないのでしょうか。

牧野 今はガラスも新素材が開発されて粉々（こなごな）になって落ちるため、切り口が危険ということはないことになっています。ただ、200mもある高層ビルからガラスの破片が落ちたら、やはり危険です。

超高層建築物が地震大国・日本で通用するかは、1968年に竣工した日本最初の超高層ビルである霞（かすみ）が関（せき）ビルディング（千代田区）の頃には盛んに議論されました。しかし新耐震基準が設定された1981年以降は「新耐震設計適合であればよし」となり、今はほとんど議論がなされません。耐震性など建築技術ははるかに良くなっていますが、そのことと巨大都市における災害リスクは別問題です。

河合 そういうことなんですか。ビルにせよ、住宅にせよ、みんなが災害に対して潜在的な不安を持ちながらも、自分の支払い能力の範囲内で借りたり、買ったりするしかない。いや、鈍感なだけかもしれませんが、物件を選ぶ基準においては通勤の利便性が優先され、防災に対する意識は低い。しかしながら、最近は毎年のように自然が猛威を振るうようになってきたこともあり、これからは人々の建物に対する価値観も違ってくるかもしれませんね。

牧野　そうですね。通勤そのものが減り、住む街で過ごす時間が多くなれば、ハザードマップを見て、街や住宅を選ぶ人が増えると思います。また従来、住宅ローンの審査では収入が安定的に保たれるか否か、つまり支払い能力の一点張りでしたが、今後は物件の建っている場所も考慮されるかもしれません。建物の耐震性だけではなく、どの土地に建てられているかは、被害の大きな分かれ目ですから。

私たちは今、街が無秩序に広がってきた報い、利便性だけを重視して家を選んできたツケを思い知らされています。高齢化は災害弱者を生みます。また少子化により救急隊など救う側の人間も減っています。すべてが悪い方向に回っているわけですが、2030年に向けて、すこしでもリスクを減殺するよう意識から変えていかなければなりません。

これから伸びる街

牧野　ここまで厳しい現実を見てきましたが、これから伸びる街もあります。たとえば、柏の葉キャンパス（千葉県柏市）は東京大学と組み、「スマートシティ」というテーマを打ち出しています。スマートシティとは地域の機能やサービスを効率化・高度化し、企業や生活者の利便性・快適性の向上を目指す都市のことで、人口減少により今後縮んでいく日本に合致したテーマです。

また、前述の「本当に住みやすい街大賞2022」で1位となった辻堂（神奈川県藤沢市）は昭和・平成型で開発されましたが、住民は「辻堂愛」とも言うべき街への愛着を感じており、ここは特別な街だという感覚を持っています。同様に、藤沢から鎌倉（同県）、葉山（同県三浦郡）あたりの地域にも地元を誇りにする風潮があります。こうした感覚は東京の吉祥寺や国立に近いかもしれません。

河合　若年層も、自分たちの老後はものすごく長そうだということを意識して、人生を超長期でとらえようとしています。老後について早くから考え始める人が増えると、地域内で助け合えるコミュニティを作ろうとする方向へ行きやすくなります。タワマンに住む30代の男性が秋祭りやワイン会などを企画するなど、若い世代が地域のコミュニティづくりに積極的に動く事例も出てきました。

牧野　そのような動きを、私は「街プライド」と呼んでいます。私は辻堂の隣町にあたる鵠沼（神奈川県藤沢市）に住んでいますが、街プライドを持つ住民が多いことを実感しています。子供たちは成長して親の家を出ても、地域内で家庭を築いて、他所へ引っ越さないのです。親同士が小学校の同級生で、子供も友達になる。非常にいい循環が生まれています。３世代にわたって入れ替わっていることも珍しくありません。

河合　「街プライド」と言うならば、1964年の東京オリンピックの頃までは、そのような街が東京にもたくさんありましたが、高度経済成長の過程で少なくなってしまいました。今も残っている代表格としては、田園調布（大田区）ですね。きちんと計画された永住型の街です。タワマンの住民にとっては、自分の住むマンションの不動産価値には敏感でも、その街がこれから先に伸びるか・縮むかはあまり興味がないでしょう。

牧野　私は築地（中央区）育ちで、月島（同）に多くの友人がいます。しかし、ネイティブな月島住民とイミグラントなタワマン住民とはまったく別の〝種族〟で、交わりはありません。後者は大型スーパーで買物をしても、西仲通り商店街にはほとんど行きません。つまり、地域に与える経済効果も文化効果も少ない。タワマンは都心での仕事から帰って夜を過ごすだけの場所で、言わばバーチャル空間なのです。

河合　街としての東京は、もはや成熟の時を過ぎ、衰退へと転換する入口にあります。これからビルを建て、大型アミューズメント施設を造っても急速な高齢化の前では持て余す可能性が大きくなります。東京都もまた、人口減少の勢いは止められませんので、これからの東京の都市計画は「経済成長」優先から「住みやすさ」へとシフトしていくことです。それは、いかにコミュニティ機能を活かしていくかにかかっています。

牧野　そうですね。伸びる街とは、街プライドを創成することができる街であり、そうすれば次世代につながる好循環が生まれます。その想定形として現在もっともうまくいっているのは吉祥寺かもしれません。吉祥寺の住民は街プライドも高く、加えて街を良くしようというエネルギーが強いように感じますから。

第4章

暮らしはこうなる

買物難民

牧野　最近、「買物難民」「フードデザート（食の砂漠）」などの言葉をよく耳にするようになりましたが、これは地方の山間部だけではなく、23区内でもたとえばスーパーから500m以上離れていれば起こりえます。実際、東京圏でも買物に不便を来している人が少なくありません（図12）。

河合　国土交通省に興味深いデータがあります。休日の外出率を見ると、65〜74歳は20代よりも高くなっているのです。なぜ、こうしたことが起こるかと言えば、20代はネット通販が常態化しているのに対し、それができない高齢者はリアル店舗に買いに行くからです。若年層には3食ともデリバリーで運んでもらい、動画配信サービスやユーチューブで映画やお気に入りの番組を見て過ごすというスタイルの人がいます。

横浜市や東京の多摩地区には、丘陵地を造成した住宅地やニュータウンが広がっていますが、歳を重ねた人にとっては駅までの坂道を重い荷物を抱えて歩くのは一苦労です。「宅配代を払ってもいいから運んでくれ」という需要をキャッチし、ネット通販になじめない高齢者向けに、地元のスーパーが宅配サービスに力を入れていますが、人手がかかる

図12 食料品アクセス困難人口(買物難民)の推移

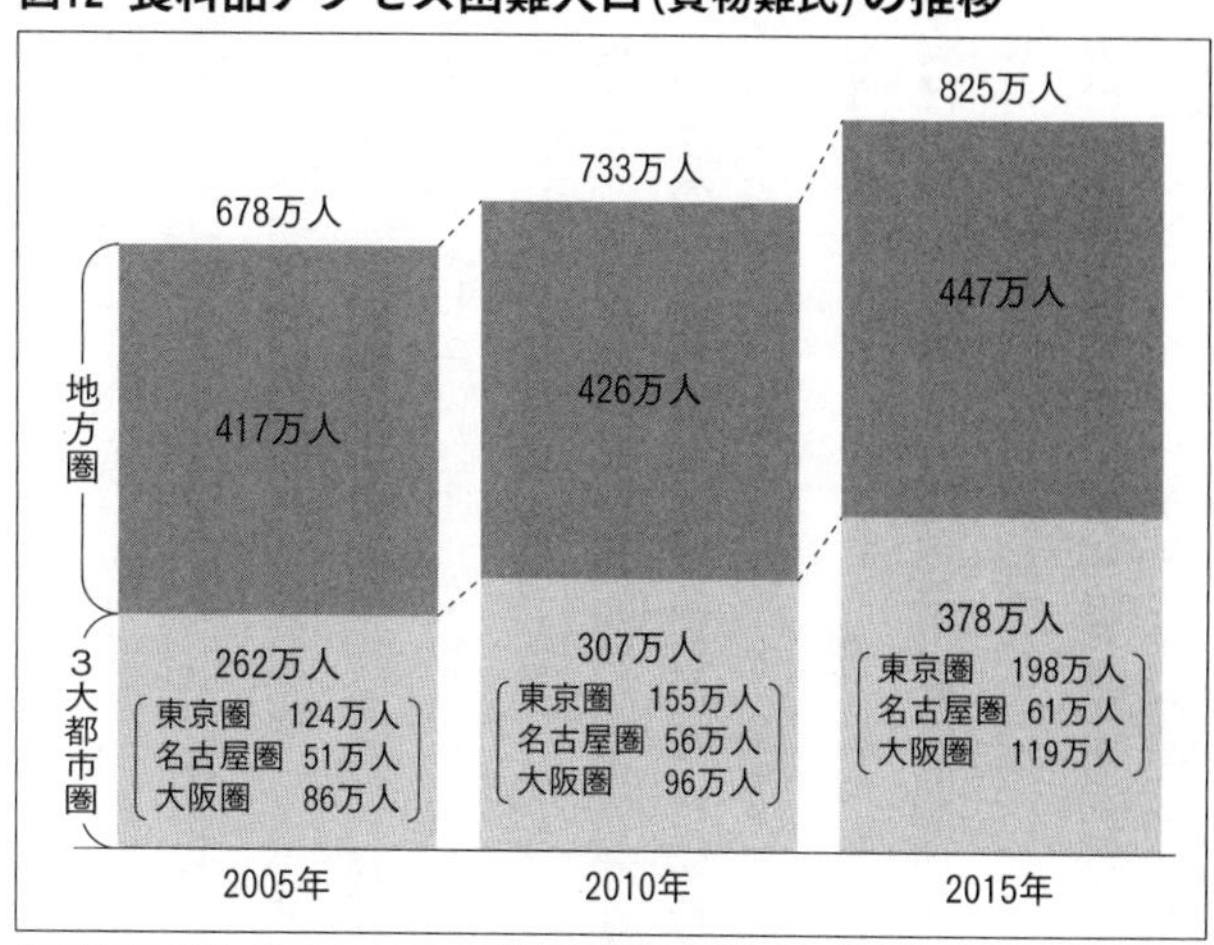

※店舗まで500m以上かつクルマ利用が困難な65歳以上の人数

(農林水産政策研究所「食料品アクセスマップ」より)

ので採算が取れないというところも少なくありません。

もちろん、高齢者の間にもネット通販を利用する人は増えていますが、年金で暮らしている人たちにすれば、生鮮3品(野菜、魚、肉)や日用品の類(たぐい)までですべてをネット通販ですますというわけにはいかないでしょう。これから80歳以上の1人暮らしの人が増えてくると深刻な社会問題となります。

牧野　不動産業界の基準では80m＝徒歩1分ですから、500mなら6〜7分です。私たちには近くて無理なく歩いていける感覚ですが、高齢者になると20分近くかかることもあります。そもそも、東京圏の街では商業施設が駅前に集中し、住民は駅から徒歩10分以上の所に住んでいます。現役だった頃に苦もなく10分ほどで行けた店が、高齢者になるときつくなるのです。

高齢者が行けなくなったために売り上げが落ちて、東京郊外では大型スーパーの撤退が増えています。この穴を埋めるように増えているのが小型スーパーとコンビニです。小型スーパーなら面積は小さいですから、物件は見つけやすく初期投資も少なくてすみます。

また、コンビニは住宅地で急速に増えています。それまで駅前や幹線通り沿いにあったものが街中に展開するようになっています。ローソンの新浪剛史社長（当時）は、10年ほど前から「コンビニは駅前から撤退します」と言っていましたし、「均質的な店舗展開を改め、その一環として地域のお年寄りに昼間だけ買物サポートの補助店員をやってもらって雇用を生み出したい」とも話していました。それがいよいよ現実味を帯びてきたように感じます。

実は、2016年まで、第一種低層住居専用地域にはコンビニを作ることができませんでした。しかし同年、同地域でもコンビニを作れることが閣議決定されました。買物難民対策のためです。コンビニとしても、都心部の家賃や人件費の高騰もあって都心店舗の経営が苦しくなっていたので、住宅地へシフトしたのです。これによって、店舗が大型化するようになりました。以前は40坪程度の店が多かったのですが、今は広い駐車場を設けたうえで60坪を超えるようになりました。

河合　歳を取ると買う物はだいたい決まってきますから、品揃え豊富な巨大ショッピングセンターは必要ありません。しかも、運転できなくなったり、維持費が年金収入による家計を圧迫するようになったりしてクルマを手放したりすると、行動範囲は極端に縮みますから、近所にしか行けなくなります。そうでなくとも、東京では若者のクルマ離れが進んでいますので、2030年に向けて、郊外型の巨大商業施設は東京郊外では減少すると思います。高齢者にとっては、スーパーマーケット化したドラッグストアのほうが使い勝手がいいかもしれません。最近のドラッグストアが1人暮らし向けの食材を充実させているのも、そうしたニーズが大きくなってきたからでしょう。

商店の復活

河合　高齢者の買物と言えば、最近のビジネススタイルは高齢社会をよく理解していません。たとえば、家具です。家具の量販店ではコスト削減のため、完成品よりも消費者による組み立て商品が多くなっています。しかし、1人暮らしの高齢者が自分で組み立てるのは大変です。多少高くても、組み立ての手間がかからない完成品を買うという人は少なくありません。

家電にしても、最近の製品はコンセントを差し込めばすぐに使えるという代物は少なくなりましたから、安く買える量販店よりも、きちんと設置して使い方を教えてくれる街の電器店で買うという高齢者は多いです。修理などアフターサービスも考えれば、そのほうが安心ということです。足が弱って電球1個を取り換えられない高齢者も少なくありませんが、新聞販売店が空き時間を使ってそうしたニーズに応えるサービスを始めたケースもあります。これまでのように経済効率化一辺倒だった価値基準は、高齢社会の進展のなかで変化することでしょう。ニーズに合わなくなってきているのです。若年層やファミリー層を中心ターゲットとしてきた量販店は今後、高齢者の要望に応えていかないと生き残れなくなるかもしれません。とりわけ、近所づきあいが希薄な東京では、店員のちょっとした気配りや〝気の利いたサービス〟が重宝がられることはまちがいありません。

牧野　大規模店での画一的なサービスが万人に受け入れられなくなっているのです。年末恒例の「NHK紅白歌合戦」の視聴率が振るわないとの報道がありますが、番組自体の巧拙（せつ）ではなく、マスを掴（つか）みにいく番組などもはや成立しないのです。テレビの前にいる視聴者はみな、スマホを片手に自分の好きな歌手が歌っている時だけ見る。あとはスマホの画面に没頭している。これが現実です。

その意味では、これからの社会では、特定のニーズに対して特定のサービスを提供する商店が見直される時代になるのではないでしょうか。たとえば、特定のコアな顧客層がプロショップを〝育てる〟といったように。

コロナ禍で街中の飲食店は苦しみました。大手のチェーン店は次々に撤退しましたが、老舗の居酒屋ほど生き残りました。コアな顧客が心配して次々、様子を確かめに来たからです。地場にしっかりと根を下ろした雑草たちの強さと言えるかもしれません。

百貨店はなくならない

河合　小売業の「売り方」という点に関しては、高齢者マーケットの拡大でそのニーズを無視できなくなってきたことだけでなく、デジタル技術の進歩と「ｅコマース」の普及にともなって変わりつつもあります。大きな転換期を迎えたと言ってもよいかもしれません。その矢面に立たされているのが百貨店です。百貨店と言えば、都市としての格を表す存在です。同じ商品でも百貨店で買い、その包装紙に包んでもらうことがステータスとされてきましたが、今や「売らない店舗」への転換の動きが出てきています。

「売らない店舗」を積極的にしかけたのは丸井です。丸井は商品を仕入れて売る従来型の「百貨店」からいち早く脱却し、家賃収入を軸とする「ショッピングセンター」に転換を進めてきましたが、物販テナントの代わりに〝新しい体験〟を提供する店舗を増やしているのです。店舗の位置づけを「新規顧客との接点」の場へと改め、エンゲージメントを高めようという発想です。

新宿マルイ本館の「b8ta（ベータ）」では最新家電を体験できますが、天井に備えつけられたＡＩカメラが来店客の行動を記録・分析し、こうしたデータを出品企業に還元して商品開発に役立てているのです。大丸東京店も、体験スペースである「明日見世」をオープンさせました。

もちろん、年配の固定客に人気の高い老舗の百貨店がすべて「売らない店舗」へと切り替わるわけではないでしょうが、２０３０年に向けて「体験型施設」への流れは止まらないと思います。私は、百貨店の「体験型施設」化はさらに進化して、客が購入した商品を身につけてファッションショーのように多くの人に見てもらうステージのような機能を持つようになるんじゃないかとも思っています。

高齢社会への道を進む日本において、決定的に欠けているのは大人の社交場なんです。ヨーロッパ諸国では、タキシードやドレスに着替えて夕方からオペラを見たり、カジノで楽しんだりする文化がありますが、東京で仕事帰りに中高年夫婦が着飾って出かけられる場所というのは限られます。

牧野　百貨店は快適な生活の雰囲気を提供する場に転換していくでしょう。「こんな暮らしはどうですか」という提案の場であり、演出装置です。都心の老舗店舗は雰囲気もあり、ショーウィンドーとしての価値は十分あります。

そうした意味では、百貨店は必ずしもビルである必要はありません。たとえば百貨店を一つのヴィレッジとして再構成する。そのヴィレッジに出かけると、顧客が主人公になり、思い思いのストーリーに浸る（ひた）ことができる。またはショーハウスの中に数日滞在して、選んだ服でエンターテインメントを楽しむ。百貨店はこうした顧客のストーリーを演出し、踊るための舞台を用意する、つまり生活提案のプロデュースをする業態に進化していくと思います。今まで体験してこなかった、気づいてこなかった新しい生活シーンを教えてもらえるし、自分の魅力に気がつく――。そんな生活プロデュースを標榜する百貨店が生き残っていくのではないでしょうか。

高齢者向けエンタメマーケット

牧野　東京の中心部はオフィスに埋め尽くされ、河合さんが言われたように、大人が楽しめる社交場やエンタメ系の催しが圧倒的に少ないのが実情です。特に、年配の女性たちが「主役」になれる場所がありません。では、どこに行くかというと、高級ホテルのレストランです。先日、渋谷のセルリアンタワー東急ホテルのレストランで13時半に仕事の打ち合わせをしていたら、男性陣は私たちだけで、あとは全員着飾った女性たちでした。

河合　２０３０年代には、男女雇用機会均等法のもとで就職した最初の世代が70代になってきます。私もその世代に該当するのですが、仕事一筋という人が多かったそれまでの世代と比べてこだわりの趣味を持つ人が多く、「新人類」と呼ばれた世代でもあります。

いつの時代もそうですが、シルバー像というのは世代によってどんどん変わっていきますので、「新人類世代」が完全に引退し始める２０３０年代の高齢者は、現在の高齢者とは明らかに行動様式が異なっているでしょう。自分の趣味にこだわりのある高齢者が増える分、大人の社交場ができて自分を表現できる機会も増えたならば、東京はさらに新しい顔を見せるようになるかもしれません。

牧野　２０３０年の高齢者は、現在の高齢者のように集団で宴会をしたり、旅行に行ったりするかと言えば、疑わしいですね。オタク文化の最初の世代が高齢者になるのですから、消費活動もその延長線上にあるはずです。同じ趣味・嗜好を持つ、気の合った者同士で食事をしたり、イベントに出かけたりするようになるのではないでしょうか。

現役時代は職場の先輩・同僚などの同調圧力を受けて、「行きたくないけれど忘年会に行かないとまずい」と嫌々（いやいや）参加したかもしれませんが、リタイア後は楽しくないものには参加しない、逆に楽しければ会社・学校・年齢などのグルーピングから離れてフレキシブルに参加するようになるかもしれません。これも、リタイア後も所属組織を引きずっていた旧来の高齢者と違うところです。

ちなみに、私の経営するオラガ総研では仕事はプロジェクト単位ですので、プロジェクトごとに構成メンバーが異なります。自（おの）ずと会社単位の行動ではなく、気の合う仲間ごとに食事をしたり、出かけたりしています。２０３０年には今以上に組織のしがらみから解放されて、食事も夜の過ごし方も、個人事業主的な感覚になっていくでしょう。

社用族でもっていた高級レストランやクラブが淘汰されるのは必至です。社員旅行などで栄えた熱海（あたみ）（静岡県）がバブル崩壊後に下り坂になったのは、それらがなくなり、個人旅行にシフトしてしまったからです。旅行が気軽にできなかった時代、会社単位・職場単位の旅行は歓迎されましたが、今や社員に見向きもされません。熱海では法人需要に乗っかっていた旅館やホテルは潰れましたが、個人客を取り込むことに成功したところは生き残りました。人々の暮らしの変化に合わせて変わらなければ、生き残れないのです。

キャッシュレス化はどこまで進むか

河合　百貨店をはじめ、小売業はデジタル化の影響を受けて「売り方」の大転換期にあるという話をしてきたわけですが、デジタル化と言えばキャッシュレスの普及ですね。東京が国際都市を名乗るには、2030年までにどれぐらいキャッシュレス化が進むのかもポイントになると思います。
コロナ禍で非接触が求められるということもあり、私もかつてのようには現金を使わな

図13 世界主要国のキャッシュレス決済比率（2018年）

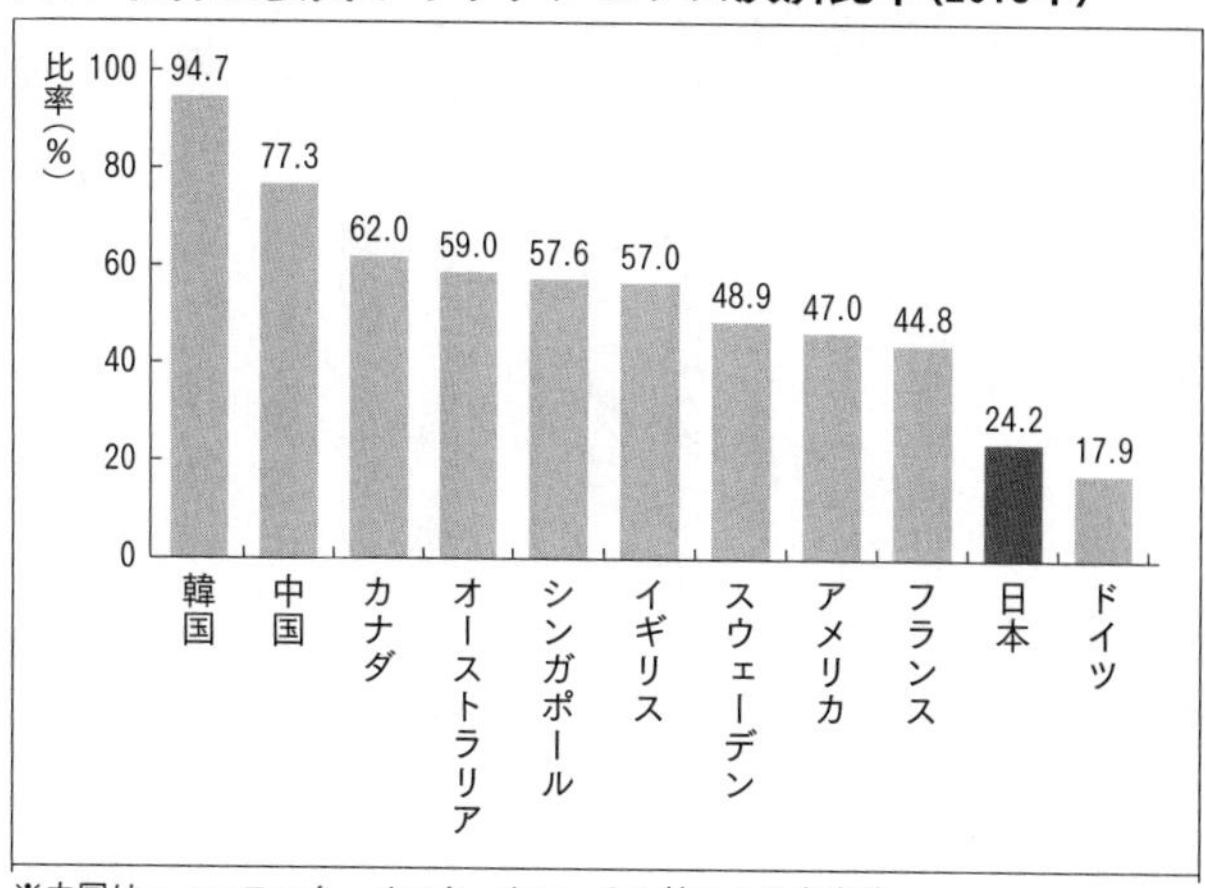

※中国はユーロモニターインターナショナル社による参考値

（キャッシュレス推進協議会「キャッシュレス・ロードマップ2021」より）

くなりました。使い始めると、電子マネーは便利ですからね。しかしながら、2030年に現金を見かけなくなるということはないと思います。もちろん、キャッシュレス化は世界の潮流ですので、東京も現在よりはるかに普及するとは思いますが、日本はキャッシュレス社会にするタイミングがあまりにも遅すぎました。もっと国民が若い時に導入すべきだったのです。高齢化がこれだけ進んで、東京都では高齢者の激増が予測されています。今から「デジタル化だ、キャッシュレス社会だ」と言っても、落ちこぼれてしまう人がかなりの数になるのではないでしょうか。

牧野　私は２０１９年、ロシアに出張した際、人口40万人ほどの都市を四つ回りましたが、現金はまったく使いませんでした。モスクワやサンクトペテルブルクならいざ知らず、人口40万人と言えば、日本なら富山市、大分市などにあたる地方都市です。そこがキャッシュレスで過ごせたのです。自動販売機でミネラルウォーターを買うのもクレジットカードでした。また、ミャンマーでは寺院の賽銭もスマホ決済でした。自国通貨に対する信認が薄い国ではデジタル化は早く進みます。日本は自国通貨の信認が高かっただけに、キャッシュレス化は後れているのです（131ページの図13）。

河合　各国の進み具合は、驚きですね。現在の日本の高齢者のなかにはクレジットカードすら持っていない人も少なくありませんし、進化するテクノロジーにとてもついていけるとは思えません。「これから高齢者になる人たちは、若い頃からパソコンを使用していた世代だから大丈夫」という意見も聞かれますが、「人生１００年」と言われる時代ですので、パソコンを使えない世代は２０３０年にはまだかなりの人数が存命です。パソコンを使ってきた世代も、そのスキルを維持できるかは怪しいです。２０３０年には高齢者の22・5％が認知症になると推計されているからです。

「昔は紙をお金として使っていたんだね」などと語られる時代はしばらく来ないでしょう。

治安の悪化

河合　2030年の東京を展望する時、気がかりな課題の一つに治安の悪化があります。犯罪は確実に増えていくと見ています。日本はかつて中間層が分厚く、多くの人が「1億総中流」と語るほどの均質的な社会でした。しかし、平成の「失われた30年間」で、企業が非正規雇用を増やした結果、分厚かったはずの中間層は細ってしまい、それどころか300万円未満という所得層が広がりました。今や東京でも所得格差の広がりが大きくなってきています。

少子高齢社会となって、政府が高齢者優遇政策を続けてきたこともあり、世代間の不公平感も強まっています。こうした世代間格差も無視できません。最近「親ガチャ」という言葉が流行しましたが、日本の国力の低下が露呈し始めたこともあって、若い世代には閉塞感がかなり広がってます。数年前、大学生から「自分たちの世代では『未来』という言葉がネガティブなワードになっている」と聞かされて驚きました。

2030年代後半には、全国で3戸に1戸が空き家になると推計されています。東京都内でもかなり目立つようになるでしょう。空き家が増えた地区では犯罪抑止力も衰え、犯罪を生み出しやすくなります。空き家自体が犯罪の温床にもなりかねません。

牧野　1980年代後半から1990年代前半、ワンルームマンション投資が流行しました。ビジネスパーソンが所得税対策で購入、賃貸収入を得ていたわけです。しかしオーナーが定年を迎えて所得が落ちると節税効果は失われます。ワンルームマンションはその後も建設が続き、一部のエリアではテナントの奪い合いになっています。競合に負けて売ろうにも売れず、修繕費も管理費も出せなくなったオーナーは賃貸人を選べなくなり、ワンルームに外国人が5～6人も入るようなケースが出ています。その中に犯罪者が紛れたりすると、良質の賃貸人は出ていき、怪しげな人物や犯罪者ばかりが住むマンションとなります。

　このように古くなって修繕ができない、住民間のコミュニケーションも取れない物件はスラム化します。これは一戸建てよりもマンションに生起する問題であり、街によって差が生じます。街がいったんローアークラスに席巻されると、アッパークラスが出て行くのは世界共通の現象です。たとえば、アメリカのデトロイトは1970年代以降に黒人の街になったとたんに白人の富裕層は逃げ、市は財政破綻しました。程度の差はあるとしても、貧富の格差が拡大する今後の日本でも起こりえることです。

犯罪の多いエリア、少ないエリアという認識が一般化すると、人々は住む場所をその観点から選ぶようになり、それがまた街間の格差を助長します。今まで、東京は犯罪の少ない街、治安が良い街と世界中から見られてきたのですが、このようなことが起これば、その見方は修正されるでしょう。

河合　そうですね。社会の高齢化もまた治安の悪化につながる要素です。「犯罪弱者」という言葉があります。振り込め詐欺のような犯罪に巻き込まれる高齢者を指す言葉です。

さきほども述べたように、判断力が衰える認知症の高齢者が増えますし、相談できる家族のいない1人暮らしの高齢者も増えます。その分だけ、ターゲットとされる人が多くなるということですからね。そうでなくとも、社会が複雑化してきており、若い人でも巧妙な詐欺に引っかかるケースが増えています。

治安の悪化からすこし話題が外れますが、認知症や1人暮らしの高齢者が増えれば、事故も増えます。一番の懸念は住宅火災です。近隣の建物にも影響しますからね。最近のニュースを見ていますと、80代、90代の1人暮らしの焼死が多いです。また、ヒートショックや自宅内の転倒で亡くなる人も少なくありません。1人暮らしの人にとって、自宅は密室空間です。高齢者の1人暮らしは増加傾向にありますが、2030年にもなると、捨て置けない社会課題になっているかもしれません。

牧野 千葉県の柏の葉キャンパスでは東京大学が実証実験として、寝室にカメラを設置し、ベッドにナースコールの通報装置をつけました。プライバシーよりセキュリティを優先させたわけです。

ただ、事故を防ぐにはセキュリティの準備だけではなく、介護やケアサービスを含めた、地域のサポート体制を構築することも必要です。日頃から挨拶を交わすような地域コミュニティがあれば、「今日は○○さんを見ていないけど、大丈夫かな。家に行ってみよう」などということもできます。また、警察関係の方から聞いたのですが、空き巣などの窃盗犯は住民たちが挨拶を交わすような街は避けるそうです。

義務教育の見直し

牧野 ここからは、教育問題について議論したいと思います。現在、小学校1年生（7歳）の人口は約100万人ですが、大学を卒業する年代（22歳）の人口は約118万人です。つまり、15年間で約2割も差があるのです。それだけ人口減少のスピードは加速しているわけです。15年間で2割もマーケットが縮む産業があったら、企業は大変です。中長期の経営計画など立てられません。

河合　生徒数が急に減ったとしても、教職員を簡単に減らすことはできませんから、非効率な学校運営を余儀なくされます。教科ごとに教師が異なる中学や高校では、なおさらです。いずれ東京圏でも、生徒数より教員数のほうが多いなんて学校が登場するかもしれませんね。だからと言って、教室などハード面を取っ払い「授業は全部リモートに切り替えます」とはならないでしょう。学校教育は社会生活の練習の場でもあります。集団の意味と多様性を学ぶためには人間同士がぶつかり合わなければなりませんから、全部デジタルには転換できない構造にあります。このことは、社会の変化に対応していくうえで難しいところです。

牧野　私の見立てはすこし違います。今や教育のカリキュラムはオンラインのほうが洗練されており、教師の能力差や気分で展開される授業より出来がいいのです。優れたソフトウェアが次々と出現していて、そのレベルに驚かされます。何度でも繰り返し学べるし、質疑応答もできます。机上学習に限れば、オンラインで対応は十分可能だと思います。

オンラインに向いているのは学習塾です。オンラインなら、生徒が一カ所に集まる必要はありません。学習塾は駅前のメジャーなテナントの代表格ですが、母親が働いているために送り迎えできないこともあり、今後は駅前から学習塾がなくなることも考えられます。受験産業は配信機能に特化したソフトウェア産業になるかもしれません。

いっぽうで集団教育、その代表的なものとしての部活動・クラブ活動はこれまで学校に委ねられていましたが、今後は街や地域のクラブ・サークルが担っていくことになるでしょう。地域で行なうことで青年や高齢者など、幅広い層と交流ができます。同じ学校で年齢もあまり変わらない同質な集団で過ごすよりも、よほど社会性が磨かれると思うのです。そうなることで学校という強制的な箍が外れ、不登校も減るのではないでしょうか。

河合 そこを突き詰めていくと、義務教育の根本的な見直しになりますね。改めて「義務教育の『義務』とは何か」を考えざるを得なくなります。

学校があり、地域でのコミュニケーションの場もあり、が正しいのであって、教育における学校の部分がなくなってしまうと、親の価値観に左右されることになります。それこそ「近所のA君ではなく、オンライン授業で優秀なB君やCさんと遊べ」などとなりかねません。

義務教育は必然的、強制的にさまざまな人たちと交わることで人間形成を促すものですから、知識教育はオンラインなどでできるとしても、学校を全部外してしまうことは無理でしょう。人口減少社会でいかに学校機能を維持するかを考えなければなりません。

牧野 そうですね。義務教育が質・量共に細ると、私立校に行ける人はいいですが、親の収入から公立校にしか行けない人に皺寄せが来ます。端的に言えば、格差の再生産です。今後、生活するだけで精一杯で教育費に振り向けられないという人たちが増えてくることが予想されます。すでに子供の貧困率は6人に1人で、給食が健康の命綱になっている子供が夏休み・冬休みには痩せるという事例が報告されています。

非競争社会がもたらす人材難

牧野 一度調べたことがあるのですが、子供が東大など有名校に入る家庭の所在地と人口動態はピタリと一致します。

東京郊外に人口が散っていった1960年代後半から1990年代半ばは郊外の進学校が進学実績を上げていきました。具体的には、茨城県の江戸川学園取手（取手市）、神奈川県の桐蔭学園（横浜市）、東京都の桐朋（国立市）、都立八王子東（八王子市）などです。ところが人口の都心回帰が起こり、都心一極集中になると、都立日比谷（千代田区）、本郷（文京区）、豊島岡女子学園（豊島区）など都心の学校の進学実績が上がりました。

つまり、人口の偏在と教育格差は密接な関係にあるのです。現在でも、タワマンなどで一気に人口が増加する街もあれば、近くに徒歩で通える公立校がないような過疎化が進んだ街もあります。今後、地域差が激しくなれば、教育格差は広がるかもしれません。人口が減るから受験戦争――もはやこの言葉自体が死語ですが――が緩和され、一流校・有名校に入りやすくなるかと言えば、そうではありません。みんなが行きたがる有名校の数は変わりませんから、入試競争は続きます。

河合 興味深い分析結果ですね。私が危惧するのは将来的な人材の減少なんです。子供の絶対数が減ることは競争環境が作られづらくなることを意味し、その社会的影響はけっして小さくありません。人間というのはライバルと切磋琢磨（せっさたくま）することで能力を高めていくものので、母集団が大きいほど優秀な人材の絶対数も多くなります。子供数が減り、競争環境が乏しくなるにつれて、イノベーションも起きにくくなるのです。

牧野 一流校・有名校・人気校の競争が続くいっぽう、下位ランクに位置する不人気校は受験生を集められなくなります。今後は、経営難に陥る私立校も出てくるでしょう。実際、私が仕事で関係したところでは、都心の某私立中学のM＆Aがあります。この学校は、学校全体で生徒が16人しかいませんでした。この手の話はなかなか表には出ませんが、水面下で進行しているものも少なくないと思います。

河合　21世紀に入って、男子、女子とも私立の中高一貫校はどんどん共学に衣替えをしていきました。生き残りのためです。中学・高校だけではありません。女子大学や女子短大が次々となくなり、4年制大学の入学定員割れも鮮明になってきました。今、各大学は生き残りに必死です。公立大学に形を変えたり、留学生や社会人の受け入れを拡大したりと、マーケットが縮むなか、かなり無理をしています。

あまり話題になっていませんが、大学教員の地方大学離れも進んでいます。地方の国立大学などで、次世代の中核として期待されていた人材が都市部の大学に引き抜かれるようなことが起きているのです。学生が集まらないだけでなく、教員の質まで低下してしまったら地方の大学はさらに厳しくなります。

教育費と学歴のアンビバレンツ

牧野　現状、地方では、あまり出来が良くなくても学歴をつけるため、親が過重な教育ローンを組んだり、本人が奨学金を背負ったりして東京の大学に入ります。しかし卒業後、奨学金を返すために働きたくても職がない。あるいは低収入の仕事しか得られない。結果、じりじりと貧困に陥っていく。東京は旺盛な吸収力ゆえに、貧困も再生産しているのです。

河合　それは深刻な話ですね。話はすこし違いますが、地元ではやりたい仕事が見つからないから、就職しやすい東京の大学に行くという人が一定数いることはご存じのことだと思います。では、地元の大学に入学したほぼ全員が地元で就職するかと言えば、そうでもありません。結局、行き着く就職先は東京なのです。こうして、地方はますます寂(さび)れていきます。

「親が過重な教育ローンを組む」とのことですが、教育費への懸念が少子化を加速させている側面もあります。「子供1人に莫大な教育費がかかるのなら2人目は無理だ」となるわけです。かつて小学校から大学まで私立に通うと教育費の総額は2000万円を超えるとされ、オール国公立でも１０００万円近く必要だという試算がありました。政府の教育無償化政策で、かなり保護者の負担は軽減されるようになりましたが、それでも学習塾や習い事、部活のユニフォームなどにかかる費用を挙げれば馬鹿になりません。自宅から通えなければ下宿代もかかります。家計に占める教育費の割合は昔とは比べものにならないほど大きく、そのためにより少子化が進むという悪循環です。

牧野　確かに、教育費は高すぎます。しかし、今の日本は高学歴でないと親の貧困が再生産される社会になっています。それに対する恐怖感が親の側にある限り、「無理してでも大学に入れたい」「上の層に行ける切符を手に入れてほしい」となります。

そもそも大学などの高等教育は一定の人口が保たれたうえで、それを許容する社会基盤がないと成り立ちません。今後、母集団としての人口は減っていくわけですから、公的なサポートが必要です。高すぎる教育費が少子化の一つの原因とするなら、これは文部科学省だけが管轄していては解決できないと思います。

第5章

老後はこうなる

年金問題

牧野　年金の受給開始年齢は段階的に上がっていますが（図14）、仮に現行通りとすると、2030年に60歳を迎える1970年生まれの人は、厚生年金・国民年金共に65歳からの受給となります。もちろん、繰上げ受給をすれば60歳から受け取れますが、受給額は減ります。所属する組織の定年が60歳のままだと「定年後、年金前」をどうやりくりするかが問題になりますし、そもそも世代間・個人間で大きな差があります。

河合　社会保障は私の専門分野ですが、厚生労働省の「高年齢者の雇用状況」（2020年）によれば、99・9％の企業が65歳までの雇用確保措置をしています。しかしながら、65歳を定年としている企業は18・4％にとどまります。60歳で定年退職となったあとは、嘱託社員として契約を切り替えて雇用を継続する企業が大半ですね。社員の年収を半分近くにまで減らし、さらに毎年、契約内容を見直すという

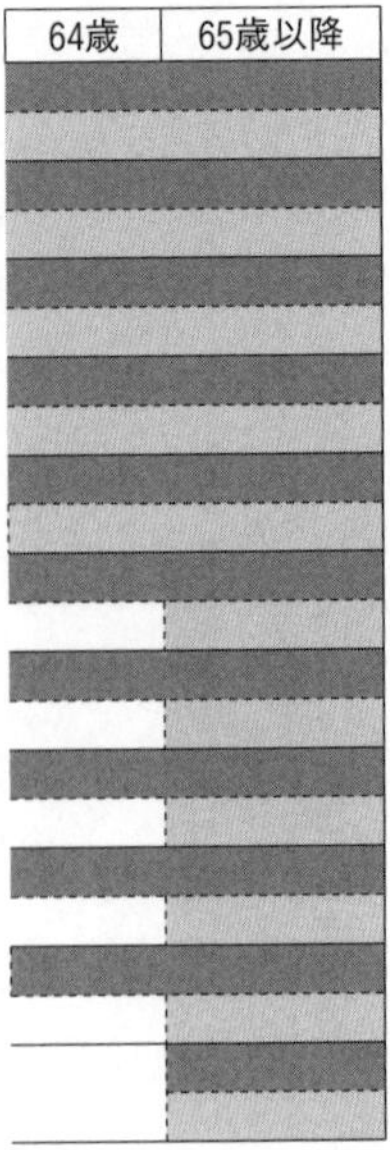

64歳　65歳以降

機構のホームページより）

図14 年金の受給年齢

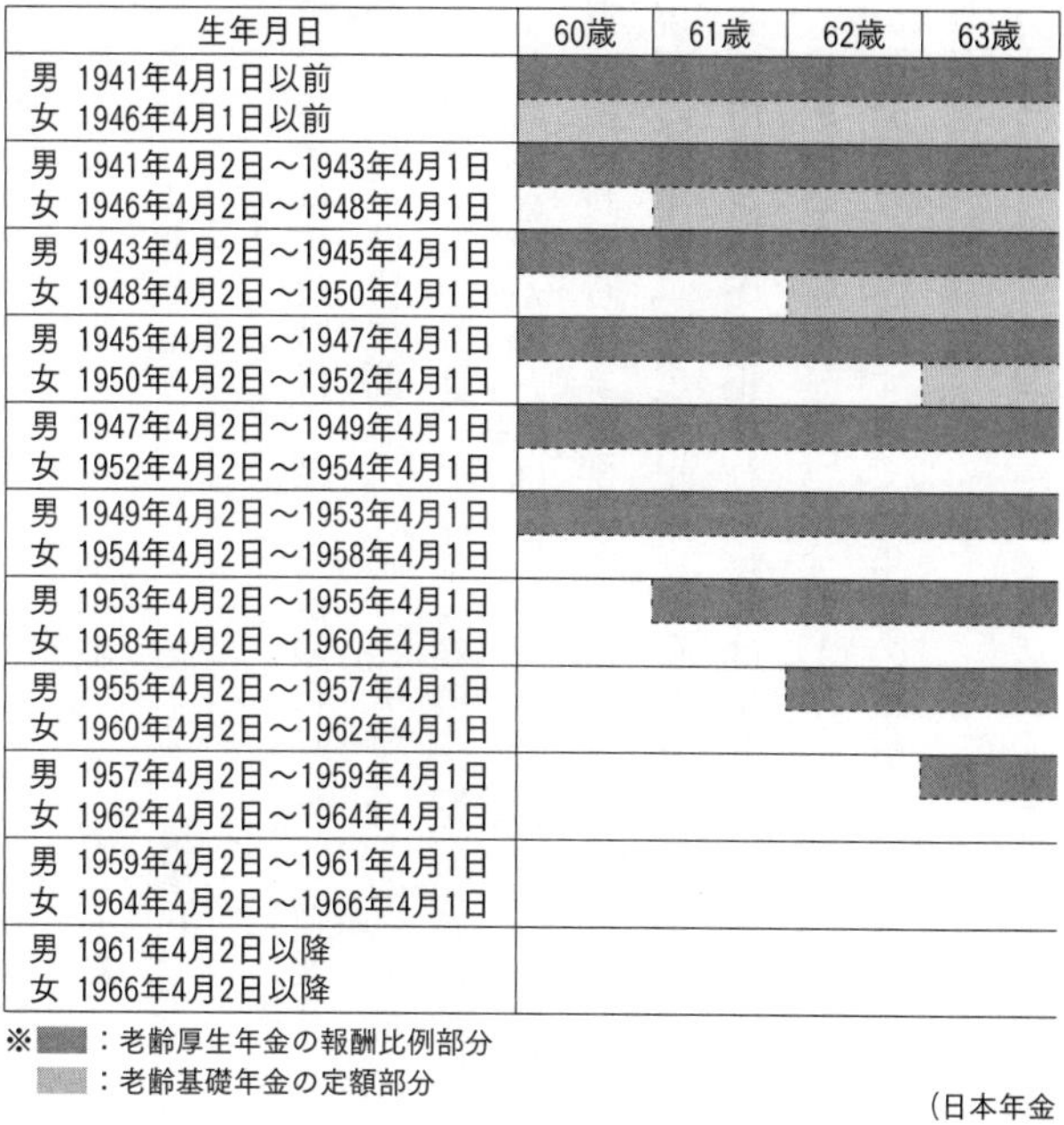

生年月日	60歳	61歳	62歳	63歳
男 1941年4月1日以前 女 1946年4月1日以前				
男 1941年4月2日～1943年4月1日 女 1946年4月2日～1948年4月1日				
男 1943年4月2日～1945年4月1日 女 1948年4月2日～1950年4月1日				
男 1945年4月2日～1947年4月1日 女 1950年4月2日～1952年4月1日				
男 1947年4月2日～1949年4月1日 女 1952年4月2日～1954年4月1日				
男 1949年4月2日～1953年4月1日 女 1954年4月2日～1958年4月1日				
男 1953年4月2日～1955年4月1日 女 1958年4月2日～1960年4月1日				
男 1955年4月2日～1957年4月1日 女 1960年4月2日～1962年4月1日				
男 1957年4月2日～1959年4月1日 女 1962年4月2日～1964年4月1日				
男 1959年4月2日～1961年4月1日 女 1964年4月2日～1966年4月1日				
男 1961年4月2日以降 女 1966年4月2日以降				

※（濃い網）：老齢厚生年金の報酬比例部分
（薄い網）：老齢基礎年金の定額部分

(日本年金

ケースも多いです。

　しかも、こうした雇用延長の対象は、一定の期間勤めてきた正規社員が中心です。2030年に年金受給世代になる人と言えば、「失われた30年」で勤務先が倒産したり、リストラに遭ったりした人も少なくありません。うまく転職できていればよいのですが、非正規雇用となっていると難しい。

　うまく転職できないと、厚生年金の保険料納付が途切れてしまいます。未納期間が長ければ老後は低年金となってしまいますし、勤務先が倒産したり経営が傾いたりして転職を余儀なくされた人のなかには退職金を十分にもらえなかった人もいます。２０３０年頃になると、老後資金を十分に貯めきれないまま60代を迎えるという人もたくさん出てくるでしょう。

牧野　年金は現役時代に納めた保険料に応じて還元され、受給開始後に増やすことはできません。現役時代に高収入であった人は受給金額が高く、低収入であった人は受給金額が低くなります。つまり、現役時代の格差がそのまま反映する仕組みです。低収入で預貯金が十分にできなかった人ほど、年金が〝命綱（いのちづな）〟になるのに、その原資がない。しかも平均寿命の伸長から、ますます老後は長くなります。この矛盾（むじゅん）をどう埋めるか。

現在の政策は「年金が足りない分、長く働いてください」です。２０２１年4月、高年齢者雇用安定法が改正され、政府は事業主に70歳までの雇用を努力目標として提示しました。いわゆる「定年延長」です。しかし、企業としては無い袖（そで）は振れません。70歳まで全社員を雇うなら、返す刀で若年層の給料を下げざるを得ず、研究開発も新規投資もできなくなります。

会社というヴィレッジだけで生活してきた人、しかも定年まであと数年という人は、たとえ配置転換などを宣告されても、短気を起こして辞めてはいけません。会社から見放されるまで必死にしがみついているべきです。いっぽう、就職氷河期世代の人たちは定年まで10年近く、あるいはそれ以上あることもあり、今のうちにスキルを磨き、自分で稼ぐ手段を確保していかなければなりません。そうでなければ、「長生きは地獄の始まり」になってしまいます。

定年延長のリアル

牧野　私が調べたところでは、現時点でまったくハードルを設けずに無条件で定年を延長している企業は見当たりません。たとえば損保ジャパンは70歳定年を打ち出しましたが、望んだ社員100人のうち、社が提示した条件をクリアできたのは30人程度で、他はあっさりとはねられてしまいました。企業からすれば、労働生産性を上げるために40代の社員でも篩(ふるい)にかけたいのに、60歳以上の社員を無条件で雇う余裕などない、というのが本音でしょう。

河合　前述の「高年齢者の雇用状況」によれば、定年制度を廃止した企業は2・7%ですので、そもそも「年齢にこだわらない」ところはきわめて少数派なんですね。66歳以降も働ける制度のある企業は33・4％ですが、66歳以上の定年制度のある企業は2・4％にすぎません。66歳以降も働ける制度があるといっても、週に数日などアルバイトのような条件で採用しているところが多いのが実情です。

60代にもなると持病の一つや二つは抱えている人が増えますし、健康状態の個人差も拡大します。60代後半の人は万が一、勤務中に倒れられたら困るので、企業側としては健康面でのチェックを厳格に行ないます。さらに、各企業ともデジタル化を推進している転換期にあることもあり、若い世代に対してもリスキリングや職種転換を求めているところです。こうした大きな変化に対応できるだけのスキルを持っているのか、シビアに能力が査定されるということです。企業はボランティア活動ではないので、年齢にかかわらず「誰でもいい」とはならないのは当然です。

先にご説明された高年齢者雇用安定法改正の効果がこれからじわじわ効いてくるでしょうから、２０３０年に向けて70歳まで働く人は増えていくでしょう。ただし、さきほど述べたように誰もが満足する仕事に就き続けられるとは限りません。２０３０年まではわずか8年しかないわけで、65歳定年制の会社すらまだ少数派であることを考えれば、「70歳定年」の企業が急増しているとは考えづらいですね。

高齢者の働き方

河合　定年退職後も働くことについて個々人の意識はどうかと言えば、自分がもらえる年金受給額が思ったより少ないことに驚き、老後の生活が不安になって「働けるうちは働き続けたい」と言う人が多くなっています。しかしながら、個々人の思いと企業の都合との溝はなかなか埋まりません。働き続けたい側は、できれば同じ会社でこれまでやってきた仕事を続けたいし、なるべく給与水準が下がらないようにしてほしいと考えるでしょう。いっぽう、企業側としては、総額が決まっている人件費はなるべく若い優秀な人材の確保やリスキリングに投じたい。ましてや、ＡＩを使って事務処理など定型業務をなくそうとしているわけですから、こうした業務に高齢者を回すことは矛盾となります。

牧野　私の学生時代の同期生たちも、そのような待遇に陥っている人が多いのですが、みんな口を揃えて文句を言っています。「今までと同じような仕事をしているのに給与水準が大幅に下がるのは納得できない」と。これって、会社に所属することでしか稼ぐことができなかった人の典型例ですよね。自分で稼げるスキルがある人なら、転職して収入を維持し続けることができるはずですから。ところが、そうした可能性はないし、本人たちもどうしてよいかわからないでいるため、文句だけを言っているわけです。

河合　もし今後の高齢者が、これまでの高齢者と同じくサポート的な業務や軽作業に就くとするならば、AIによる代替をすると、かえってコストが高くつくという業務が中心になることでしょう。しかし、こうした業務はそれほど多くは残らないと思います。

ですから、同じ会社で働き続けたいのであれば、真の生涯現役を目指すことです。現役時代に突出したスキルを身につけている人や、他にはない特殊な人脈を持つ人は、高齢者ではなく〝戦力〟として評価されやすいでしょう。そうした特別な存在になれないのであれば、週2、3日の勤務や大幅な収入ダウンを受け入れるという選択にならざるを得ません。でも、週2、3日の勤務ならば、副業の許可を得て複数社で働くということも可能ですので、ものは考えようです。

他方、勤務してきた企業ではなく、老後は別の企業で第2の人生を目指すというのも選択肢です。勤め続けてきた企業の要求には応えられないとしても、他社では戦力となるケースは少なくありません。

とはいえ、定年退職後の転職は難しいですから、他社に再就職するならば、50代になった頃から準備を始める必要があります。たとえば、外国語を学び直すとか、現役中に畑違いと思える分野の国家資格を取得しておくなど、次を見越してリカレント教育への自己投資をすることです。定年後をイメージしながら必要に応じて武器を一つでも多く持っておくに越したことはありません。

牧野　やはり準備が大切です。私は45歳で会社を辞めたのですが、辞めてみて、自分の実力がいかに低いかを実感しました（笑）。会社での実力と、社会で評価される実力はまったく違います。大企業を離れた社員によく見られることですが、会社の格を表す名刺と、課長や部長など会社での肩書という表示を失った瞬間、孤独な自分を発見すると言われます。リカレント教育がいかに大切であるかがわかります。

ライフプランと老後資金

河合　50代半ばとなって「定年退職まであと○年」と指折り数えられるようになってくると、誰しも老後資金への不安が具体化してくるものです。「公的年金だけでは老後資金が

２０００万円足りない」「いや、本当は５０００万円不足する」など、メディアがあれこれ報じたこともあって、他人の年金受給額や貯蓄額が気になっている人も多いのではないでしょうか。

しかし、定年退職後にも学費のかかる子供がいるのか、自宅を保有しているのか、家賃を払い続けなければならないのか、など個々人が抱える事情は大きく異なるわけですから、「貯蓄がいくらあれば大丈夫」とは一概に言い切ることはできません。

牧野　同感です。ファイナンシャルプランナーの方ともよく話をするのですが、各人の置かれている状況によって千差万別だそうです。金融庁の「２０００万円問題」は「もっと資産を運用していきましょう」といった趣旨での例示であったと聞きます。それが「老後には２０００万円が必要」と曲解されてしまったのです。

河合　老後の資金を考えるうえで大きく影響を受ける要素に、親の介護問題があります。これまでの高齢者は、自分の老後のことだけを考えて老後の資金繰りをしていればよかったわけですが、２０３０年代の高齢者はそうはいきません。自分が70歳になっても、親が存命中という人は珍しくなくなります。他方、公的介護保険サービスは削(けず)られるいっぽうです。

この時、親の老後資金がしっかりしていれば問題は小さくてすみますが、親が低年金だったり、無年金だったりした時には生活費をサポートしたり、扶養しなくてはならなくなったりしかねません。こうなれば思わぬ出費となり、老後のライフプランに大きな狂いが生じてしまいます。ですから、親が高齢になる前によく話し合い、年金受給額や預貯金残高など「親の老後資金」をしっかり把握しておいたほうが賢明です。

繰り返しますが、「老後の資金はいくらあれば大丈夫なのか」という問いに正解はありません。2030年には70歳まで働くことが珍しくなくなったとしても、ほとんどの人は現役時代より収入は少なくなります。今は健康でも、いつ働けなくなるかわからない。2030年の高齢者もまた、現在の高齢者と同様に公的年金を主柱として、その不足分を働いて補う人が大勢だと思われますので、これを前提として、老後の対策を考えなければなりません。

牧野　親が死んでみないと、親がいくらお金を持っていたかを知らない人が多いのが実情です。私もその1人で、3年前に父親が亡くなった時にはじめて、父親の金融資産を知りました。親の資産をあてにして安易に生きてはいけないですが、少なくとも概要を把握しておくことは必要です。そして、自分が老後までにいくらの資金を蓄えることができるか、親の相続も含めてグランドデザインを描いておきましょう。特に、親が所有している不動産は今後、すべてが価値のあるものとは限りません。空き家のような負動産など、相続をするうえで一定の覚悟が必要となるものもあります。

河合　老後の資金として蓄えてきたお金を切り崩し、生活費に充てるのは当然のことですが、配分をまちがえると、のちのち不足する事態に陥りかねません。どう配分すればよいのかについては、自分の寿命はわかりませんから、平均寿命を参考にして考えざるを得ません。

月々の収入が少なく、老後資金を切り崩しても生活を切り盛りする額に足りないのであれば、支出の削減をすべきです。一昔前の高齢者と比べて年金額が少なくなっているのに、老後は長くなっていくのですから、60代から生活水準を落とし始めるのはやむを得ません。たとえば、子供夫婦の住宅資金の援助といった大盤振る舞いは、今後は誰もができることではなくなるでしょう。よくよく自分の懐(ふところ)具合を見てからでないと、あとで困ることになります。生命保険に加入している人は、契約内容を見直すことです。高額となった保険料に支払う分を貯めておけば、いざという時の医療費を自己負担しても足りないどころか、余ることだってあります。

老後の生活設計のなかでも最重要ポイントは、借金を定年後に持ち越さないことです。70歳まで返済を続けなければならない住宅ローンなど、会社員には勧めません。収入が減ったあとも現役時代と遜色ない額を返済しなければならない設定になっているなら、老後破綻して当然です。やや酷なことを言うようですが、定年退職後までローンを組まなければならない物件とは、そもそも「手の届かなかった物件」なのです。若いうちだけでも、本来ならば住めなかった物件に住めてよかったと割り切ることです。

子供への教育費も同様です。ついついお受験ブームに乗せられて背伸びをしようものなら、老後資金を貯めきれなくなります。ましてや現在は晩婚・晩産で定年退職後も子供が中高生という人が少なくありません。自分が何歳の時に、子供にどれぐらいの教育費がかかるかをよく考え、現役時代からしっかり貯めておかないと大学の入学金などまとまった支払いが必要となった時に手元に資金がないということになります。

固定費の見直しも大事です。たとえば、老後の暮らしに重く伸しかかるのは家賃です。収入が減っているのに、若い頃のように駅前一等地などの優良物件に住み続けることは無理な話です。自分の収入に合わせて東京郊外の市街地や地方の県庁所在地など家賃水準を下げられるエリアに引っ越すことです。

牧野　おっしゃる通りです。これまで、親のありかたとして子供を援助するのは当然という考えが根強くありました。しかし、それは日本経済が成長して収入がどんどん増え、年金も潤沢にもらえた世代の常識です。

たとえば1970年代はじめ頃、横浜市内で駅近の新築マンションの分譲価格は700万〜800万円でした。今なら5000万〜7000万円します。それを、分譲価格の10分の1の年収で30〜35年の住宅ローンを組んで買うのが、最近の人たちです。人生のほとんどを借金の返済で過ごすことになるわけです。教育費もかかるのに、さらに子供に資金援助するなんて考えないほうがよいでしょう。

老後資金が足りない場合の対処

河合　もし老後資金が足りなければ、自衛手段を講じなければなりません。それは主に三つあります。①働けるうちは働くこと、②可能な人は資産運用すること、③自分でできることを増やして家計支出を抑えること——です。①についてはすでに説明してきた通りですが、誰もがすぐにできるのは③です。

どんなことでも業者や他人に依頼すれば、サービス料を取られます。収入が少なくなった高齢期にこうした手数料が積み重なると家計を圧迫します。しかしながら、若いうちからさまざまな経験を積んで自分でできることを増やしておけば、無駄な出費は減らせます。さらに私が勧めているのが、「スキルの交換」です。たとえば、大工仕事が得意なおじいさんと裁縫（さいほう）が得意なおばあさんが近くに住んでいるとします。それぞれが得意とするスキルを交換する形で助け合えば、業者にお金を払わないですみます。こうしたスキルの交換の仕組みを地域全体に根づかせておくことです。大概のことは、お金をかけずにできるようになりますから。このような暮らしの知恵を組み込んでいくことが、これからはとても重要となります。

牧野　今までは1軒1軒の世帯の所得のなかで経済が完結し、世帯間の有機的なつながりはありませんでした。これを若年層の単身世帯も、高齢者世帯も、ファミリー世帯もつながることで、スキルは豊富になります。わかりやすく言えば、コミュニティ作りです。これはマンションでもできます。むしろ、これからの共同住宅は、みんながシェアする機能がどれほど含まれているかが「売り」になるかもしれません。高齢化が進むニュータウンでも、それができれば、出ていく人は少なくなるでしょう。魅力的なコミュニティ＝魅力的な街づくりとなります。

河合　それが理想というより、そうせざるを得ないのです。昭和30年代くらいまでは東京でも味噌や醤油を貸し借りしたり、自分の庭の雑草を取るついでに隣の雑草を毟ったりしていました。多くの人が貧しかったので、当たり前のことでした。こうした庶民同士のゆるやかな絆を、ある程度取り戻していくしか残された手はないと思います。

資産運用

河合　幸運にも元手のある人は、前述の自衛手段「②資産運用」も選択肢となります。わずかながらも運用益が定期的に入ってくるのは心強いものです。

注意すべきはハイリスク・ハイリターンの金融商品に、定年退職後に手を出すことです。万が一、運用損となった場合、若い頃であれば収入もそれなりにあるので当座の暮らしに困窮することもありませんし、損した分を取り戻す時間的な余裕もあります。しかし、収入が減ってしまった高齢期の運用では、それができません。

一攫千金を狙って退職金を原資に投資した結果、「株が暴落して大損をしてしまった」

などという失敗談も聞きます。それこそ取り返しのつかないこととなりかねません。リスクを覚悟した資産運用は、現役時代にすませておくことです。高齢期にも続けるのであれば限度額を決めておくか、リスクの大きくない商品を選ぶのが無難です。

牧野　あせって無理をする典型ですね。FX（外国為替証拠金取引）に成功した人が書いた本などを読み、「俺も一発逆転で資産を大いに増やしてやろう」などと実行に移してしまう例です。退職金を元手にワンルームマンションやアパートに投資する人もいます。いずれも昭和・平成の発想です。会社員は一度に多額のおカネを手にしたことがないせいか、気ばかりが大きくなって失敗するのです。

おっしゃる通り、この年代になるとリカバリーできる可能性はほぼゼロになります。自分の身の丈(みのたけ)にあった老後設計が求められます。

大量相続時代

牧野　今後の日本、特に東京圏では大量相続時代を迎えます。高齢者が多く、死亡者が増えれば、相続が大量発生するのは理の当然です。

河合　相続税を納めている人は案外少ないものです。基礎控除額は2015年、「3000万円＋600万円×法定相続人の数」へと変更となり、大幅に引き下げられたため、かつて4％台前半で推移していた死亡者数に対する課税件数の割合は同年以降、倍増しました。ただ倍増したと言っても、元の数字が小さいので大したことはありません。公益財団法人生命保険文化センターによれば、2019年の全国平均は8・3％です。ただ、地価が高く高所得者も多い東京都ではこの割合が高く、6人に1人が該当するとされます。

牧野　相続人が1人の場合、控除可能なのは遺産総額3600万円までですが、これは確かに都内、特に都心部に一戸建てを持っていると、面積や場所にもよりますが、オーバーすることが多いです。たとえ築40年の木造住宅で上物（建物）の価値が0だったとしても、土地代だけでオーバーしてしまいます。

ただ、この土地代というのが曲者で、路線価×坪数で評価額が出ますが、なかには売れない土地もあって、処分しようがないので税金が払えずに物納となります。しかし物納にはさまざまな条件があって、簡単ではありません。ですから今後、相続はしたものの預貯金がないために税金が払えない「相続難民」が出てくる可能性が大いにあります。不動産だけではなく、金融資産も東京圏に偏っていますから、相続問題も地域偏在があるということになります。

河合　相続とはある意味、格差社会の象徴です。たまたま資産家の家に生まれただけの話ですから、「親ガチャ」の世界です。しかし、政府は今後、資産課税強化の方向に行くと思います。社会保障費の伸びが著しいのに国民の消費税アレルギーは大きく、なかなか税率引き上げとはなりませんからね。

牧野　不動産と相続は密接な関係にあります。実は、相続の評価額は、現金よりも同じ金額を不動産で持つほうが安くなることが多いのです。というのも、土地は前述の路線価で評価されますが、路線価は時価と言われる公示価格のおよそ8割の水準に設定されています。また、建物は固定資産税の評価額が採用されますが、再調達価格の7割程度で評価され、減価償却分も考慮されるため、実際の土地・建物の時価よりもかなり安くなるからです。こうした不動産の持つ特性が、金融資産を貯め込んだ高齢富裕層の人気を博しています。そして、それが東京の新築マンションマーケットを歪(ゆが)める構造になっています。

河合　「親の遺産を相続すれば老後資金は何とかなる」など、捕(と)らぬ狸(たぬき)の皮算用をしている人も多いことでしょう。「相続＝親の財産を子供が受け継ぐ」と考えている人が多いと思いますが、2030年頃になると、こうした〝常識〟も廃(すた)れることになるかもしれません。「人生100年」と言うほどに長寿となり、親が90代半ばで子供が70代というケースが珍しくなくなるからです。60代後半や70代になると亡くなる人も増えてきますので、必ず親のほうが先に逝くとは限りません。遺言を書くのも複雑になりますよね。現在は大概、親が先に亡くなることを前提として書かれているでしょうが、今後は年老いた子供も親も同時に遺言を準備する時代となります。

それはすなわち、親の遺した財産を自分の老後資金として当て込めなくなるということでもあります。相続できたとしても70歳前後となってからになります。「人生100年時代」とは、90代まで生きる親も高齢者となった子供も、それぞれが金銭的に自立できるよう準備をしておかなければ回らなくなる社会ということです。

90代まで生きる人が増えてくるにつれて、老後資金が足りなくなり、資産を切り売りせざるを得なくなる人(親)も増えることでしょう。いざ遺産相続となった際、残っていた財産が意外と少なかったということになりかねません。2030年代後半になれば3軒に1軒は空き家になると推計されているのですから、実家の土地・建物にはほとんど資産価値がなくなっていたということも、日常の風景になるかもしれませんね。

牧野　大量相続時代には思わぬ副産物もあります。高齢者の住環境の好転です。家という基本的な居住空間が確保しやすくなるのです。現在は高齢者、特に収入のない１人暮らしの高齢者が家を簡単に借りられない状況にあります。家主が家賃の滞納や孤独死を恐れて、貸さないからです。

しかし、大量相続により家が余るようになると、家主と借主の立場が逆転します。家賃も下がるでしょうから支出が減り、可処分所得が増えることになります。不動産市場では現在、ワンルームマンションが余り気味です。これまでの主たる客層だった若年層が減り、前述したワンルームマンション投資時代に大量に造られた物件もあります。ワンルームマンションの家賃は安いですし、狭いために動き回らなくていい。高齢者向きなのです。

最近、デベロッパーが若年層向けに開発した賃貸マンションで、空室率が急上昇しています。特に都心へのアクセスが良い割に地価が比較的安い城東地区では、空室がまったく埋まらないことが報告されています。さらに、相続した一戸建て住宅を賃貸に回す動きも今後加速するでしょう。このようななかで、大量相続時代を迎えることになるわけですから、いっそうの値崩れが予想されます。

疾病構造の変化に対応できない医療機関

河合　老後の暮らしで忘れてならないのが、医療・介護の問題です。公的医療保険や公的介護保険は、医療の高度化や利用者の増加で財政が逼迫しており、２０３０年に向けて自己負担の増加やサービスのカットが進むことがあっても、手厚くなることは期待できません。２０３０年の高齢者にすれば、現行よりも年金水準が低くなり、医療費や介護費の支出額が増えたとすると、現在の高齢者より年金額がさらに目減りするようなものです。

医療は年齢に関係なく利用します。現役世代の窓口負担割合が２０３０年までに現行の3割から引き上げられることは考えづらいですが、保険適用となる治療メニューの範囲が狭まれば、実質的な負担増となります。さらに、現役世代にとっての痛手は保険料の引き上げです。その分だけ手取り収入が減り、貯蓄に回せる額が少なくなるということでもあります。

もう一つの懸念材料は、医療や介護の提供態勢の脆弱さです。東京都は病院も医師も多いのですが、高齢化にともなう疾病構造の変化に合致していません。たとえば東京の都心部は大学病院なども多く世界有数の急性期医療の集積地であり、急患や重症患者など急に容体が変化する患者には適していません。しかし高齢者が増加すると、生活習慣病やリハビリなど継続的な治療を要する慢性期医療のニーズが増えていきます。この慢性期医療に対して医師や看護師、療養病床や介護施設が圧倒的に不足しています。

東京都は2025年度に介護職員だけで約3万5000人不足すると推計しています。このままなら、2030年度にはさらに不足が拡大することでしょう。

牧野　高齢者にとって、医療機関へのアクセスも問題となります。たとえば、ニュータウンに住んでいる高齢者は、段差の多い街中を通ってバスに乗り、電車を乗り換えて都心の病院に行くわけですが、これは健常者でも重労働です。ですから、街のクリニックなど地域医療を充実させて、地域の中で患者を受け入れる形に変えていかなければなりません。

河合　政府は、団塊の世代が75歳となる2025年に向けて、医療機関が役割分担をしながら連携する「地域医療構想」を掲げていますが、もう時間的に間に合わないでしょう。コロナ禍でも浮き彫りになったように、民間病院はみな独立した経営を行なっています。長年掲げてきた看板を下ろし、回復期や慢性期の患者を診る病院に変わることを嫌う病院経営者も少なくないのです。

低所得者向け高齢者住宅の整備を

牧野　患者が病院に入れないということは、容体が急変した時に誰が面倒を見るのでしょう。配偶者や子供と同居していればいいですが、それがないとすれば、グループホーム的な施設やケアレジデンスといった、地域で包括的にケアする場所が必要になってきます。サービス付き高齢者住宅（サ高住）は本来、そのためにあったのですが、家賃と共益費だけで月額10万円以上します。ここに食費・水道光熱費はもちろん、医療費が加われば、月額30万円近くかかるでしょう。とても、年金頼みの高齢者には住めません。

河合　医療費や介護費の伸びを抑えるために、不必要な長期入院や要介護度の高くない人の介護施設の入所を減らすというのが、政府の方針です。そこで厚生労働省が打ち出したのが、地域包括ケアシステムでした。自宅を中心とした住み慣れた場所で、慢性期の患者を医師や看護師、介護スタッフが訪問してケアしようという仕組みなのですが、こちらも一部の例外を除き、思うような広がりを見せていません。

在宅で患者や要介護者をケアするには、家族や地域の支えが不可欠です。しかし、肝心の家族がいない、地域の支える力もあてにできない、というのが少子高齢社会の現実であり、課題なのですが、このことを無視しています。また、地域包括ケアシステムは病状が悪化した場合などには、ただちに病院に入院することが前提となっているわけですが、前述のように、病床の再編や地域の医療機関の役割分担や連携がまだまだ整っていないところが多いですから。

牧野さんが言われるように、サ高住も家賃が高すぎて現実的ではありません。普通の会社員だった人なら、年金額のすべてが入居費に消えてしまいそうなところが多いのです。しかもサ高住はあくまで住宅であり、医療的なケアをしてくれるわけではありません。医療や介護の費用は、入居費とは別に支払わなければならないのです。よほどの資産家か、手厚い企業年金を持っている一流企業に勤めていたような人しか入れないというのが実情ではないでしょうか。

牧野　不動産会社のなかには、サ高住事業に進出する動きも出始めています。いずれも、高額な入会金や賃料を必要とする高級仕様のものばかりです。高価な石を敷き詰めた豪華なエントランスやラウンジなどを設けたりしていますが、高齢者には地面が冷たいでしょうし、滑って転ぶリスクもあるのではないかと心配になります。これまでオフィスやマンションなど、いわゆるハコモノビジネスで儲けてきた不動産会社は、サービスという視点での施設づくりが得意とは言えないように感じます。

河合　私は、現在のサ高住に入れない人向けに、低家賃の高齢者住宅を地方自治体などが建設すべきだと提言しています。これは福祉事業として行なうことです。

かつて大量に造った雇用促進住宅や都営住宅などのうち、すでに当初の目的・役割を終えた物件を有効活用すれば、建設コストは抑えられます。建物の骨格はそのままにリフォームしてワンルームマンションのように造り直せばいい。入居者には、元気なうちはボランティアとして入居者同士の支え合い活動に参加してもらうことを条件として課すのです。高齢者が集まり住めば、地域包括ケアシステムは機能しやすくなります。医師にすれば離れた場所に住む高齢者を1軒ずつ往診しなくてもすむ分、効率的です。

入居者に所得制限や資産審査などの基準を設けて、富裕層は高級有料老人ホーム、資産家や中間層はサ高住、低所得層はこうした低家賃の高齢者住宅に住むようにすれば、病床不足問題はかなり解消するはずです。

牧野　それは良いアイデアですね。空き家問題の解消にもなると思います。介護の流れは現在、住宅↓施設となっています。高級有料老人ホームもサ高住も、「住宅」で介護サービスを受けるという意味では、選択肢にすぎません。問題は、次の「施設」の段階です。

体は動くけれど１人で暮らすことは難しいという人たちの格差が急速に進み、老人保健施設（＝老健。原則3ヵ月間の入居で在宅復帰を目指す施設）と特別養護老人ホーム（＝特養。終身利用できる介護施設）に入れない待機者が増大しているのです。

東京は老健や特養が少なく、待機者は現時点で全国の約８％を占めるなど圧倒的に多いのです。今後の入所者の激増にはとても耐えられません。住宅から施設に移行した時に入る所がない、家族もいないとなれば、行き場を失います。２０３０年頃には東京圏だけで１２５万人の介護難民が出ると予測されています。

河合　「老後はこうなる」というテーマで考えると、２０３０年には、「老後をどう自分らしく生きるか」を考える人が今より増えるのではないかと思います。

第4章でも述べましたが、２０３０年に高齢者となる世代は仕事一筋ではなく、集団よりも個々人で気の合った仲間とこだわりの趣味を楽しむことに長けています。ＳＮＳに慣れ親しんできた世代でもあり、仕事を離れてもつながり続ける手段をいくつも持っています。ある程度、暮らしにゆとりのある人たちを中心に、元気なうちに若い頃にやり残した趣味や活動に打ち込み、悔いなく生きようという価値観が広がるのではないでしょうか。

また、この世代の話を聞いていると「あまり長生きしても仕方ない」と考える人が増えているような気もします。２０３０年代の高齢社会は、今の高齢者はもちろん若年層とも異なる独自のオタク文化が花開くようになるかもしれませんね。

牧野　今後の高齢者は、これまでの――老後は年金をもらい、旅行をしたり、趣味の会に参加したりする以外は、家の中で読書などをして過ごす――というステレオタイプではなく、各人が老後のグランドデザインを早くから描いて、準備をするようになるでしょう。長い人生をどうエンジョイするか、自分の趣味や趣向に則（のっと）った生活を自分で考えて、コーディネートしていく。こうしたことは、情報社会に慣れ親しんできた世代にとってはそれほど難しいことではないと思われます。

　行政が「高齢者」として一括（ひとくく）りする画一的な老後ではなく、さまざまな価値観を体現する老後が展開されるようになれば、明るい高齢社会を作り出すこともできるかもしれません。

日本の分岐点

河合　本書はここまで、さまざまな角度から「２０３０年の東京」を見てきましたが、私は、２０３０年頃まではそれほど厳しい時代になるとは思っておりません。雇用や社会保障を中心として政府の対策が追いついていない分野が少なくないことには不安も不満も残りますが、豊かだった時代の遺産を食べていれば、まだ何とかやっていけます。日本にはそれぐらいの国力は残っているはずです。

むしろ、２０３０年を東京に限らず、日本の分岐点の年として位置づけるべきだと考えます。２０３０年以後も高齢者は増え続けます。東京に食料やエネルギーを供給してきた地方では人口減少が顕著となりますし、東京もまた高齢化が進み、その姿を変えていくこととなります。これまで何とかやってきた古き成功モデルがどんどん通用しなくなり、小手先の改革では意味をなさなくなるのが、２０３０年代なのです。

私は、高齢者の人口がピークを迎える２０４０年代初頭こそ、日本にとって当面最大の正念場になると見ています。そして、２０４０年に向けた改革は、遅くとも２０３０年からスタートさせなければ間に合わないとも思っています。とはいえ、突如として２０３０年からスタートできるわけではありません。２０３０年をスタートの年とするには、２０３０年までの残り8年間でかなりの仕込みをしておかなければなりません。今「２０３０年の東京」を考える意味は、ここにあるのだと思います。

何事も、急いては事を仕損じます。まだ多少の時間的余裕と選択肢がこの国に残されている間に、どこまで「古き日本」を、「古き東京」を、「時代後れとなった成功体験」をぶち壊すことができるか。そこに勝負がかかっています。ここまでズルズルと来てしまった分、残る8年間を無駄にすることなく使わなければならないのです。

牧野　先日ネットで、1970年代の新宿駅の通勤風景と現在のそれを比較した映像を見つけました。通勤する大勢のビジネスパーソンを映しているのですが、これが同じ国かと思うほど、歩いている人たちが違います。1970年代はとにかく若い！　20〜30代が多いのです。今の東南アジア、たとえばタイのバンコクの街中のようです。いっぽう、現代は中高年の行進です。歩き方も遅い。ちなみに、私はシンガポールやニューヨークの出張から戻ってくると、東京のエスカレーターののろのろぶりにイライラすることがあります。

別のサイトでは、1970年代の江の島（神奈川県藤沢市）の片瀬西浜の海水浴場の映像が紹介されていました。私は現在この近くに居住していますが、人数の多さに仰天しました。とても泳げないし、砂浜にはレジャーシートを敷く場所さえありません。また10代と20代がほとんどで、30代の若いファミリーが交じる程度です。翻って、今の片瀬西浜の主流は、白髪頭(しらがあたま)のベテランサーファーです。

これらは、今の日本社会の縮図です。２０３０年、新宿駅の通勤風景は、江の島の海岸はどのように変化しているでしょうか。

河合さんが言われるように、日本は今後も、かつての成功の方程式の余熱で動き続けていくでしょうが、今でも政府は「今さえ良ければ」とカネをばらまき、国民は自分で物事をちっとも考えずに「国が指揮をしろ」「補助しろ」と要求ばかりしているように感じます。古代ローマの詩人ユウェナリスは「パンとサーカス」にしか関心を示さない民(たみ)を見てローマ帝国の衰退を嘆きましたが、私たちはもう一度、自身の立ち位置を確認しなければなりません。

幸いなことに、若い世代は現状をよく理解しています。しかし圧倒的マジョリティを占めるシニア世代が、かつての成功の方程式にいまだにしがみついているように見えてなりません。今後は異論を排除せず、見えづらい同調圧力をなくし、新しい世の中をもう一度作り直す。２０３０年の日本は、その分岐点となるでしょう。そのようにして、新しい未来を創り出していきたいものです。

エピローグ――地方暮子(仮名・30歳女性)の1日

東京は楽しかった! 故郷(日本海側の某県某市)にはない刺激があって、毎日がキラキラと輝いていた。だから、親の反対を押し切って大学入学と共に東京に出たんだ。渋谷の飲食店でアルバイトをしながらも単位はきちんと取り、卒業後は第1志望だった食品メーカーに就職した。

しかし入社8年目、中学校の教師をしていた父親(57歳)が通勤中に脳出血で倒れ、入院およびリハビリ生活を送ることになった。母親(55歳)だけでは父のケアは大変だ。1人娘の私は迷った末に2030年、生まれ育った街に帰ってきた。

この街では藩政時代から銅器を作り続け、鋳鉄技術の蓄積ゆえ、昭和初期からボーキサイトを加工するアルミニウム産業が盛んだった。しかし、「電力の缶詰」と言われるアルミニウムは大量の電力を必要とするため、電気代が高騰すると採算が厳しくなり、工場は海外に移転して閉鎖された。本社のある東京に移った人もいるが、工場のラインで働いていた人の多くは、退職を余儀なくされた。企業城下町として潤っていた商店街はシャッター通りになってしまった。それと共に人口も減ってしまった。この15年で2割減だ。

帰郷後、両親と同居して看病や家事の手伝いをしていたが、幸いにも父親はわずかな後遺症が残ったものの、自宅で生活できる程度に回復した。一安心(ひとあんしん)だが、このままそばにいてあげたいと思った。私は東京に戻らず、この街で新たな仕事を探すことにした。職探しに苦労していると、心配してくれた父の知人が海沿いの小さなカフェ兼レストランの運営を任せてくれるという。売上金の一部をロイヤリティとして支払う契約だ。料理は得意なので引き受けることにした。人件費節約のため、私1人で切り盛りしている。

7時、市営の卸売市場で食材を購(あがな)う。地元の新鮮な朝採れ野菜と魚介類だ。ロマネスコなどの西洋野菜も手に入る。こんな値段で農家の人は食べていけるのだろうかと心配になるほどの安さだ。私の店は地元の常連客が中心だが、観光客も時折来てくれる。常連客には東京からの移住者・帰郷者もいて、東京の話で盛り上がることもある。

想定外だったのは急にモテるようになったこと。ここでは若い女性が少なく、独身の中高年男性ばかりだからだろう。縁があれば結婚してみたいが、店を始めたばかりなのでその気になれない。高校の同級生の大半は地元を離れたが、そのうち結婚した女友達は2人だけ。この街に残った数少ない友人たちも半分以上が未婚だ。晩婚化が進むわけである。

14時、ランチの営業を終了する。クルマに乗って、県庁所在地の郊外にある東京資本の大型ショッピングセンターにLED電球を買いに行く。駐車台数1000台を擁する、このショッピングセンターができた時、近隣はもちろん半径15㎞圏内で、多くの商店が潰れてしまった。東京にいた時はカーシェアリングを利用して出費を抑えていたが、ここではクルマがなければ移動もままならない。ガソリン代が馬鹿にならないが、仕方がない。

山間部に住む父方(ちちかた)の祖父母(祖父82歳、祖母78歳)は、祖父が運転免許を返上したので、週2回の移動販売車が頼みの綱だという。祖父母の集落の住民はすべて高齢者だ。みんながまとめ買いをするためか、売り切れてしまう食材もあり、そんな時は私に電話がかかってくる。電話口で「『買物難民』だから……」と言われると切(せつ)なくなる。

17時、ディナーの営業を開始する。お客さんが「この筍(たけのこ)おいしいねー」と褒(ほ)めてくれた。地元の特産品を出すことを信条としているから、うれしい。今や農業や水産業は二極化しており、ブランド野菜やブランド魚となれば付加価値がついて高く売れるらしい。しかし、それらの多くは東京の消費者の口に入り、地元の人たちの口には入らない。しかも人手不足と後継者不足で、農地は休耕地、漁船は廃船が増えつつある。

確かに、街では若い人を見かけない。公園で陽（ひ）だまりのベンチに座っているのは高齢者ばかりで、子供の遊び声が聞こえてこない。私もそうだが、高校を卒業すると、多くは東京に出て行ってしまう。ここには働き場所がないからだ。市役所に勤める叔父（54歳）は、「一つの産業に頼りすぎて、観光都市への脱皮が後れてしまったんだ」と言う。

親の家業を継ぐか、役所に入るくらいしか選択肢がないが、公務員になるには試験の倍率が恐ろしく高い。県内もしくは東京の大学を卒業した人が「高卒程度」とされる初級公務員や「短大卒程度」とされる中級公務員の試験を受ける。そのほうが、倍率が低いからだ。まるで大卒が高卒の仕事を奪っているようで、ますます高卒者が東京に出て行ってしまう。先日、地元テレビ局の番組を見ていたら、テレワークが普及してこちらに住みながら東京本社の仕事をしているという若者が取り上げられていた。この街でも、こうした人が増えれば、人口流出に多少なりとも歯止めがかかるかもしれない。

22時、店を閉める。夜は思ったように客足が伸びない。私が東京に行っていた間に高齢化がさらに進み、遅くまで外食する人がめっきり減ったことが要因だ。見通しが甘かった。ランチ営業だけではかつかつで貯金ができない。私たちの世代で、年金だけで暮らしていけると考えている人はほとんどいないだろう。だから、医療費がさほどかからない40代までに、ある程度の老後資金を貯めておきたい。そうでなければ不安だ。

近くの踏切を一時停止して通る。子供の頃に比べて終電時刻は2時間以上も早くなった。JRは10年前から新幹線の本数を間引くようになり、隣町にある駅に停まる本数もかなり減った。県内の在来線のなかには、廃線寸前のものもある。街はどんどん不便になる。最近では若い人だけでなく、東京で暮らす子供の許(もと)へ移り住む高齢者が増えているという。ヒトもモノもカネも東京に吸い寄せられていく。

23時半、自宅に着いた。すでに両親は寝ている。食卓で缶ビールを開けると、ふと思う。東京に戻ろうか——。しかし、東京都も本格的に人口が減り始めた。今ここで経験していることは、いずれ東京でも起こるに違いない。しかも、はるかに増幅した形で。ならば、家族も親戚もいない東京ではなく、両親や祖父母がいて、幼(おさな)なじみも男手が足りないわが家を手伝ってくれる近所の人たちもいる、この街で生きていきたい。やはり私はこの街が好きだから。さあ、明日も頑張ろう。

おわりに――2040年の東京

牧野知弘

私にとって、東京は人生の舞台そのものだ。中央区の築地明石町（現明石町）で育ち、都内の学校を卒業し、都内の会社に就職した。そして、会社員としては珍しく、一度も地方勤務をすることなく、また海外勤務すらなく独立起業して、現在に至っている。半世紀以上にわたって東京を基盤に生活し、なおかつ大手デベロッパーにおいて幾多の再開発など不動産事業にかかわってきた私にとって、2030年という未来の東京を考えることは、自身の未来を語ることと同義と言ってよい。

私が幼少期に育った街、築地明石町は、隅田川とつながる運河が各処にある街だった。当時、運河にはたくさんのだるま船が係留され、まだ水上生活者がおり、宮本輝の小説『泥の河』を彷彿させるような世界が広がっていた。

昭和から平成、令和と時代が進むにしたがって、運河は埋め立てられて高速道路に変わり、街は高層ビルやマンションで埋め尽くされた。東京は地方から膨大な数の人々を吸い込み、激しく成長していった。街にあった銭湯は消え、魚屋、八百屋、金物屋、文房具屋は大型商業施設に吸い込まれ、街に漂っていた焼き鳥、焼き魚、おでんの匂い、隅田川から海風に乗って運ばれる、どこか饐えたドブのような臭いもあわせて消え去った。たばこの吸い殻や吐き捨てられたガム、痰で汚れていた道はきれいになり、空を、蜘蛛の巣が張るように覆いつくしていた電線網はなくなった。工場の煙突から立ち上る煙や、走り回るクルマやトラックから吐き出される排気ガスが作るスモッグで、いつも靄がかかったようだった空はクリアになり、東京は清潔感溢れる街へと変貌を遂げた。

東京はすごい。人々のエネルギーが結集し、ひたすら生産を続ける。経済は成長し、その果実を真っ先にたくさん味わうことができる、それが東京の価値であり、その最先端で、東京と共に人生を織りなしていった自分がいる。

私が愛してやまない東京の2030年の姿がどのようになっていくかが本書のテーマだ。東京の未来は、日本の未来を語ることでもある。街の変貌の一翼を担い、その様子を、不動産という観点から見続けてきた私にとって、馬車馬のように成長してきた東京がこのまま進化を続けていくかを想像することは楽しい企画である共に、不安やとまどいを感じるものでもあった。

なぜなら、この猛烈な勢いで成長を続けようとする東京に、人々がついていけない、いや、ついていこうとしなくなっている社会の変化があるからだ。人々が一カ所に集まり、みんなが同じような様式で行動し、同じような価値観で生産活動を行なう、これまで当たり前で、まったく疑うことすらなかった働き方に、明らかな変化が生まれているからだ。

日本人は労働生産性が低い、と言われる。毎日通勤という膨大な時間ロスを前提に、みんなが一堂に集まって行なうルーティンワークの多くは、すでにIT技術に代替され始めているのに、技術革新は世界から半周、いや1周遅れになっている。より生産性が高く付加価値のある働き方、人生の過ごし方が、これまでのオフィスという大箱や高層マンションを用意するだけでよいのかが、問われ始めている。

人生の大半を労働時間が占め、その労働場所に通うためだけに膨大な金額の借金をし、その返済のために自らの人生という貴重な時間を安売りしてしまう。その舞台が相変わらず、東京という存在であるならば、私の愛する東京に、未来価値は存在しないのではないだろうか。

人口という社会構造の基礎を知り尽くした現代のベスト&ブライテストのお1人である河合雅司さんとの対談は、本書で展開されるどのテーマにおいても、エキサイティングでアトラクティブな時間であった。未来の東京をもっと素敵な、みんながエンジョイできる活気あふれる街にしたいという、われわれの強烈な願いを、本書によってすこしでも読者のみなさまに伝えることができたのなら幸いである。

河合さんとは、ある講演でご一緒したことがご縁で今回の企画につながった。テーマ別の対談は熱を帯び、河合さんも私も時間の制約を忘れて熱く語り合うことができた。話に熱中するあまり、テーマからどんどん脱線し、まったく新しいテーマについても活発な意見交換が行なわれたことは、私にとって望外な喜びでもあった。2030年に再び、河合さんと「2040年の東京」を語り合う場が来ることを念じて、結びの言葉としたい。

2022年2月

切りとり線

★読者のみなさまにお願い

この本をお読みになって、どんな感想をお持ちでしょうか。祥伝社のホームページから書評をお送りいただけたら、ありがたく存じます。今後の企画の参考にさせていただきます。また、次ページの原稿用紙を切り取り、左記まで郵送していただいても結構です。

お寄せいただいた書評は、ご了解のうえ新聞・雑誌などを通じて紹介させていただくこともあります。採用の場合は、特製図書カードを差しあげます。

なお、ご記入いただいたお名前、ご住所、ご連絡先等は、書評紹介の事前了解、謝礼のお届け以外の目的で利用することはありません。また、それらの情報を6カ月を越えて保管することもありません。

〒101-8701（お手紙は郵便番号だけで届きます）
祥伝社　新書編集部
電話03（3265）2310
祥伝社ブックレビュー　www.shodensha.co.jp/bookreview

★本書の購買動機（媒体名、あるいは○をつけてください）

＿＿＿＿新聞の広告を見て	＿＿＿＿誌の広告を見て	＿＿＿＿の書評を見て	＿＿＿＿の Web を見て	書店で見かけて	知人のすすめで

★100字書評……2030年の東京

名前

住所

年齢

職業

河合雅司　かわい・まさし

作家、ジャーナリスト。1963年生まれ。中央大学卒業後、産経新聞社入社。同社論説委員などを経て、人口減少対策総合研究所理事長。高知大学客員教授、大正大学客員教授、厚労省ほか政府の有識者会議委員も務める。著書に『未来の年表』『コロナ後を生きる逆転戦略』『世界100年カレンダー』など。

牧野知弘　まきの・ともひろ

不動産プロデューサー。1959年生まれ。東京大学卒業後、第一勧業銀行(現みずほ銀行)、ボストン コンサルティング グループ、三井不動産などを経て、オラガ総研代表取締役兼全国渡り鳥生活倶楽部代表取締役。著書に『空き家問題』『不動産激変』『ここまで変わる！家の買い方 街の選び方』など。

2030年の東京（ねん・とうきょう）

河合雅司　牧野知弘（かわいまさし　まきのともひろ）

2022年3月10日　初版第1刷発行
2022年4月30日　　　第2刷発行

発行者……………辻 浩明
発行所……………祥伝社しょうでんしゃ
〒101-8701　東京都千代田区神田神保町3-3
電話　03(3265)2081(販売部)
電話　03(3265)2310(編集部)
電話　03(3265)3622(業務部)
ホームページ　www.shodensha.co.jp

装丁者……………盛川和洋
印刷所……………萩原印刷
製本所……………ナショナル製本

Printed in Japan　ISBN978-4-396-11652-1　C0236

〈祥伝社新書〉
経済を知る

498
総合商社 その「強さ」と、日本企業の「次」を探る
なぜ日本にだけ存在し、生き残ることができたのか。最強のビジネスモデルを解説
専修大学教授 田中隆之

503
仮想通貨で銀行が消える日
送金手数料が不要になる？ 通貨政策が効かない？ 社会の仕組みが激変する！
信州大学教授 真壁昭夫

625
カルトブランディング 顧客を熱狂させる技法
グローバル企業が取り入れる新しいブランディング手法を徹底解説
マーケティングコンサルタント 田中森士

636
世界を変える5つのテクノロジー SDGs、ESGの最前線
2030年を生き抜く企業のサステナブル戦略を徹底解説
京都大学大学院特任准教授 山本康正

650
なぜ信用金庫は生き残るのか
激変する金融業界を徹底取材。生き残る企業のヒントがここに！
日刊工業新聞社南東京支局長 鳥羽田継之

〈祥伝社新書〉
歴史に学ぶ

366
はじめて読む人のローマ史1200年
建国から西ローマ帝国の滅亡まで、この1冊でわかる！
東京大学名誉教授
本村凌二

168
ドイツ参謀本部　その栄光と終焉
組織とリーダーを考える名著。「史上最強」の組織はいかにして作られ、消滅したか
上智大学名誉教授
渡部昇一

379
国家の盛衰　3000年の歴史に学ぶ
覇権国家の興隆と衰退から、国家が生き残るための教訓を導き出す
渡部昇一
本村凌二

527
壬申の乱と関ヶ原の戦い　なぜ同じ場所で戦われたのか
「久しぶりに面白い歴史書を読んだ」磯田道史氏激賞
東京大学史料編纂所教授
本郷和人

565
乱と変の日本史
観応の擾乱、応仁の乱、本能寺の変……この国における「勝者の条件」を探る
本郷和人

〈祥伝社新書〉
歴史に学ぶ

545
日本史のミカタ
「こんな見方があったのか。まったく違う日本史に興奮した」林修氏推薦
国際日本文化研究センター所長 井上章一
本郷和人

588
世界史のミカタ
「国家の枠を超えて世界を見る力が身につく」佐藤優氏推奨
井上章一
小説家 佐藤賢一

630
歴史のミカタ
歴史はどのような時に動くのか、歴史は繰り返されるか……など本格対談
井上章一
国際日本文化研究センター教授 磯田道史

351
英国人記者が見た
連合国戦勝史観の虚妄
滞日50年のジャーナリストは、なぜ歴史観を変えたのか。画期的な戦後論の誕生
ジャーナリスト ヘンリー・S・ストークス

578
世界から戦争がなくならない本当の理由
なぜ「過ち」を繰り返すのか。池上流「戦争論」の決定版！
ジャーナリスト 名城大学教授 池上　彰